>>> 丛书编委会

- **丛书策划**：李继增
- **主　　编**：邓敏华
- **副 主 编**：张林军
- **编　　委**：李晓杰　熊　辉　张小玲　杨林枫
　　　　　　龚易虎　宋伊梅　程正勤　江芝兰
　　　　　　李　军　郑新仁　林志新

这些经典作品是人类高尚心灵的印记。
阅读这些经典作品,可以使童年的阅读成为一生永远的快乐。
享受快乐阅读的时光,温暖孩子的幸福童年。

约会名著

生命中不容错过的文学经典

Rensheng Bidu Shu
MeiHuiBan

优选本 美绘版

公主与妖魔

(英) 麦唐纳 (Macdonald, G.)/著

邓敏华/编著

根据教育部《全日制义务教育语文课程标准》编写

山东美术出版社

紧扣课标,名家导读,精心批注,扫除阅读障碍,重点提高阅读和写作能力。

1 名师导读

帮助学生了解文章内容,提高阅读兴趣。

公主回家了

名师导读

众人以为小公主被妖魔抓走了,都十分地难过。当小公主在柯迪的护送下出现在人们面前时,王宫上下一片欢腾。

2 阅读理解

根据内文分析,引导学生深入思考,提升理解能力。

【环境描写】
"笑脸"反映了大家心情的美好。

终于到了第二天早上,天已大亮,太阳也露出了笑容。可是山洪还在咆哮着,从出坡上冲下来,但是毕竟小得多了,所以白天走路也没那么危险了。

吃过早饭,彼得上工去了,柯迪和妈妈就出发送公主回家。他们费了好大劲,带她涉过溪水。为了不让公主的衣服被溪水沾湿,柯迪不得不一次又一次地抱着她蹚水,最后他们终于平安地踏上了宽阔的山路,不慌不忙地朝山上国王的房子走去。远远的他们竟然看到了国王和一大群卫兵。

"啊,柯迪,"艾琳快活得拍着双手喊道,"父王来啦!"

柯迪也发现了这一情况,他马上把她抱起来,用最快的速度向前奔去,叫道:

【动作、语言描写】
柯迪的动作和语言表现了他的体贴与善解人意。

"快跑,亲爱的妈妈!如果国王不知道公主平安无事,心都会碎的!"

小公主搂着柯迪的脖子,生怕自己会掉下去。

当他跨过大门奔进院子的时候,国王正骑在马上。房子里所有的仆人,都站在周围低垂着头哭泣着。国王没有哭,但他的脸苍白得像死人一样,看上去好像生命已经离开了他的身体。他带来的卫兵坐在地上,好像受了沉重的打击,眼睛里冒着怒火。可是敌人在暗处,他

【神态描写】
神态描写突出了国王对艾琳公主的担忧。

·170·

3 精美插图

根据文章配上精美彩图,让阅读不再枯燥无味。

阅读与理解

【名师点拨】

　　动作描写表现了保姆对妖魔的惧怕和惊慌失措,而外貌及语言描写突出了柯迪作为一个小矿工的外表及性格特征。

【回味思考】

　　1.公主和保姆为何迷路?

　　2.谁带公主回家?

阅读训练

一、填空题。

　　1.《公主与妖魔》是_____的作品。

　　2.《公主与妖魔》又译为_____。

　　3.《公主与妖魔》以_____民间故事中的恶鬼为线索,虚构了一段妖魔王国的历史。

4 名师点拨

　　分析内容及写作手法,让学生掌握重点。

5 回味思考

　　提出有针对性的问题,让"读"与"想"紧密结合。

6 阅读训练

　　读文章,做题目,让学生进一步巩固所学内容。

乔治·麦唐纳（1824～1905）为苏格兰作家。一生中创作了三十多部小说，被誉为维多利亚时代童话之王。其作品多以苏格兰生活为题材。他专为儿童所作的作品，除《公主与妖魔》外，还有《拉纳德·巴内曼的童年》《古塔·珀查·威利》和《聪明女人》。1877年，以连载形式开始发表另一部优秀儿童作品《公主与柯迪》。他的作品至今十分畅销，与《鲁滨逊漂流记》《小人国与大人国》《宝岛》和《爱丽斯漫游仙境》并列为英国儿童古典文学名著。

《公主与妖魔》又译为《公主和小鬼》。乔治·麦唐纳以苏格兰民间故事中的恶鬼为线索，虚构了一段妖魔王国的历史。它讲述的是住在地下的妖魔要报复住在地上的王国，他们阴谋抢走公主，并且打算用地下水淹没矿井。因为妖魔夜间活动频繁，威胁到公主的安全，小矿工柯迪便冒险潜入妖魔王国，侦察妖魔的动静。他经历种种曲折，终于摸清妖魔的计划，挫败了他们的阴谋。

这本书巧妙地将真实和幻想融成一体，情节曲折，引人入胜，因此故事极富有魅力。

目录

公主与妖魔

Mulu
Gongzhu Yuyaomo

深居王宫的公主

名师导读

可爱的小公主居住在半山腰的城堡里，她的房间的屋顶上是蓝色的小星星。可是，可怜的小公主还没有见过真正的星星，这是为什么呢？

很久很久以前，有一个很大的国家，这个国家的国王有一个非常可爱的小女儿，也就是小公主，她叫艾琳。

她和她的父母住在王宫中，王宫是座非常漂亮的宫殿，它建立在一座大山上。因为艾琳的妈妈身体不好，所以艾琳出生后不久，就被送到一幢有点儿像城堡，又有点儿像农舍的大房子里去。在这里，有一大群仆人伺候着她。那幢大房子，在另一座山的半山腰上。

艾琳非常美丽，她已经八岁了，她总是待在房间里。她的房间设计得十分精美，屋顶上是蓝色的小星星，可是我们可怜的小公主还没有见过真正的星星呢！这是为什么呢？以后你就会知道原因了。

在大山的底下，有好多巨大的岩洞，有的流着泉水，有的当阳光射入时，还会反射出彩虹般的色彩。弯弯曲曲的通道，把这些岩洞连了起来。如果不是因为地底下有矿藏，这些岩洞是不太会被人发现的。为了挖到山底下的矿藏，矿工们挖了好深好深的矿井，好长好长的坑道。他们发现了许多天然岩洞，有些洞口在山坡上，有些洞口在深谷里。

这些地下岩洞中住着一群奇异的种族，有人叫他们"地下小精灵"，有人叫他们"矿山精怪"，也有人叫他们

【开门见山】
文中开头交代主人公的身世背景。

【设置悬念】
此处设置疑问，引起读者兴趣。

【叙述说明】
写出了岩洞的隐蔽。

"妖魔"。

　　老人们曾经知道他们的来历,据说他们本来和大地上的任何种族一样,生活在地面上。后来,可能是他们对国王的统治不大满意吧,可是又没有办法改变,于是他们一起搬到了地下居住。

　　他们白天从不出来活动,只有当我们睡熟后才走出山洞。因此,我们很少看得见他们。

　　当然,在人烟稀少的山区和黑夜里,他们才会成群结队地到地面上来。

　　看到过妖魔的人说,他们的外貌和人类比起来,已经起了很大的变化。他们世世代代生活在潮湿、寒冷、阴暗的洞穴里,远离阳光,渐渐变得难看,变得古怪。

　　其实,许多人并没有真的见过妖魔,他们只是根据传说和自己的想象力,把他们描述成了一种异常丑恶的生灵。

　　不过,人们可能错把这些妖魔饲养的动物也当成了妖魔本身,而这些动物也有好多好多呢!

　　妖魔也不像人们想象的没有理性和知识,虽然他们的身体变得畸形了,但他们的知识和智慧仍然在增长。他们变得诡计多端,常常闹出人们意想不到的恶作剧。千方百计地作弄生活在地面上的人们,这是他们最大的乐趣。他们的心里毕竟还留有人类的情感,所以他们对待人类还不至于用过分残忍的手段。

　　这些地下的生灵们看起来很记仇的,因为当初他们正是被国王的政策所伤才迁居地下的,所以他们从不会忘记在合适的时候给地面上的人来点儿小小的恶作剧。尽管他们又矮小、又丑陋,但是他们的力气却很大。他们有自己的国王和政府,除了本国简单的事务外,这个政府的主要任务就是给地面上增添麻烦。保姆们害怕妖魔,所以尽管有许多人守卫,她们还是从来不让公主在晚上走出屋子。

　　看到这儿,我想亲爱的记者朋友们应该知道为什么艾琳公主没有见过真正的夜空和星星了吧。

阅读与理解

【名师点拨】

　　运用直接描写交代了公主与妖魔的身世背景，开门见山，语言简练。

【回味思考】

　　1.妖魔为何迁居地下？

　　2.公主为何没有见过星星？

雨天迷失

名师导读

很少出门的公主雨天闲坐,被外面的世界所吸引,出去之后却找不到回来的路了。

【比喻】

把"雨水"比喻成"帘子",表明雨的连绵不断和大。

【心理描写】

心理描写表现了小公主对外面自由世界的渴望与向往。

【行为描写】

小公主不顾一切地往长走廊里跑去,表明了她的好奇心很强。

这一天,天下起雨来,雨越来越大,完全没有停下来的迹象,只见雨水像一道帘子一样从屋顶上流泻而下。小公主坐在自己的房间里,头顶上是画着蓝天的天花板,前面是堆满了玩具的大桌子。这些玩具多得数也数不清,当我们想到她的身份时,也就不足为奇了。

小公主看了一会雨就懒洋洋地坐在椅子上想心事,她想:要是现在跑到外面的大雨中去,淋得浑身湿透,伤风了,然后躺在床上喝燕麦粥,那才痛快呢!恰巧这时,她的保姆有点儿事,于是离开了房间。

公主抬起头,只见保姆走远了。这时,一个念头从她的心头闪过,对,要抓住这个机会,想到这儿,小公主毫不迟疑地向门外跑去。门外是古老的、虫蛀过的橡木楼梯,看起来好像从来没有人走上过似的。有一次,小公主曾经爬上六级阶梯。今天这样的天气,她很想上楼去看看,也许会有新的发现。

通往顶楼的楼梯好长好长。走完第三层楼梯后,她发现那儿是一条长走廊,她就跑进走廊。走廊的两边有许多门,她不知道该去开哪一扇。她一直跑到走廊尽头,转进另一条走廊,两边也有许多门,她开始有点儿害怕起来。

小公主心里发慌,脚下的步伐也乱了,她四处乱跑,也不知道东南西北了。雨水倾泻在屋顶上,发出哗哗的响声。她转过身,用力奔跑起来,她想跑回楼梯口去,跑回到自己安全的房间里。可是,她根本就找不着来时的路。

好长时间过去了,她还在四处打转。周围到处都是房间,但就是不见楼梯!她的心怦怦直跳,跳得像她奔跑的小脚一样快。眼泪涌上来了,喉咙哽住了,她急得一下子连哭都哭不出来。可周围只有门和走廊。她绝望了,扑倒在地板上,号啕大哭起来!

也许你还不了解小公主,别看她有时爱哭鼻子,但是她的内心还是很坚强的。哭累了,她站起身来,掸掉衣服上的尘土。哇!多么陈旧的尘土呀!接着她用手擦擦眼睛,公主口袋里总是不带手帕的。这时,她下定决心,要依靠自己的智慧找到来时的路。她要穿过走廊,朝各个方向去找楼梯。她这样做了,可是没有成功。她一次又一次地走过同一个地方,可是却不知道它们是同一个地方,因为所有的走廊和门都是一模一样的。

这样又过了好久,她终于在一扇半开的门后看到了楼梯。可是,这楼梯不是通向楼下的,而是通向楼上的。虽然她吓得要命,不过还是忍不住好奇,她想知道这楼梯究竟通向哪里。那楼梯又窄又陡,小公主没有办法,只能四肢着地向上攀爬。如果换了别人,我想他也会这样做的,谁让人的天性中就有探奇的倾向呢!

【动作描写】
这句话表明很少出门的公主偷溜出门后内心的恐惧。

【比喻】
运用比喻表明心跳之快,突出公主内心的紧张与害怕。

【叙述说明】
表现了小公主的勇敢和好奇。这楼梯到底通向哪儿呢?设置悬念,引出下文。

阅读与理解

【名师点拨】
对公主的描写,为后文事情的发生作铺垫;善用比喻,突出事物特征;动作描写体现公主的害怕。

【回味思考】
1.公主为什么要偷偷离开房间?
2.离开房间后发生了什么?

神秘老人

名师导读

小公主迷路后，碰到了一位神秘的老婆婆，老婆婆对小公主十分地关心。她是谁呢？她为什么会出现在那儿？

楼梯顶上一共有三扇门，两旁各有一扇，第三扇门正对楼梯。应该走哪一扇门呢，我们的小艾琳有点儿不知所措了，这时一阵奇怪的嗡嗡声传入了她的耳朵。她支起耳朵仔细地听了起来！这声音比雨声更柔和，也比雨声更单调。这种低低的、好听的声音绵绵不断，有时停一会儿，然后又重新响起来，好像一群快活的蜜蜂，在花丛里发现了大量花蜜而发出欢乐的歌声。

【比喻】

比喻的运用突出声音的悦耳，也表明了这种声音具有吸引力。

这声音是从哪里传来的呢？她把耳朵贴在第一扇门上，仔细听听；又把耳朵贴在第二扇门上，仔细听听；当她把耳朵贴到第三扇门上听的时候，她断定声音正是从那里传出来的。这会是什么声音呢？她感到有点儿害怕，不过，她的好奇心再次战胜了胆怯，当她小心翼翼地拉开门时，看到的是一位十分苍老的老婆婆，只见她坐在在纺车前正在纺纱呢，小公主刚才听到的声音正是从纺车上传来的。

公主睁大了好奇的眼睛巡视着屋中的一切。老婆婆的头发白得像雪，虽然她看起来很有风姿，她的眼睛也很清澈，但不难看出她已经上了年纪。公主猜想她一定五十多岁了，事实上她的真实年龄可远远不止五十多岁。

【外貌描写】

外貌描写为这位老人增添了神秘感。

公主趴在门框上，呆呆地看着那位老人。老婆婆终于抬起头来,用一种悦耳的、苍老的声音,颤巍巍地说起话来。她的声音充满了喜悦,和纺车的嗡嗡声混成一片:"进来吧,小可爱,我很高兴看到你。"

小公主果然不失公主的体面,她大大方方地走进房里,还轻轻地关上了门。

"到我这儿来,亲爱的!"那老婆婆说。

小公主朝着老人走了过来,她走得很慢,一直走到老婆婆身边,她抬起蓝色的闪着星星般光彩的眼珠,望着老婆婆的脸。

"发生什么事情了,你的眼睛怎么了?"老婆婆问。

"刚才哭的。"公主回答。

"为什么哭呢,孩子?"

"我找不到下楼去的路了。"

"可是你能找到上楼来的路呀!"

"是的,胡乱走着走着就来到这儿了!"

"看看你的脸,都是土,难道你没有带手帕吗?"

"没有。"

"那就过来吧,让我来帮你擦擦呢?"

说着话,老婆婆站起来,走了出去。不一会儿她端来了一只银的小脸盆,还拿来一块白色的毛巾,她用毛巾洗干净公主漂亮的小脸蛋。公主觉得她的手真光滑,真温柔!

洗过脸,小公主开始近距离观察这位陌生的老婆婆。尽管她这样大的年纪,仍拥有修长挺直的身材,她的背也一点儿都不驼。老婆婆穿着一件黑天鹅绒的袍子,上面镶着厚厚的白色花边。衬着这身黑色的衣服,她的头发是银白色的!

屋子里十分简陋,甚至可以说是寒酸。因为地板上没有地毯,也没有桌子,只有一台纺车和一把椅子。老婆婆走回房间,又坐下来纺纱,一句话也没有说。艾琳站在老婆婆旁边瞧着,她可是从来没有见过纺纱呢!老婆婆转动纺车,灵巧地纺着纱,一边和公主说话,但并不

【语言描写】

从语言描写可以看出老婆婆对小公主极为熟悉。

【动作描写】

老婆婆的行为表明了她对小公主的疼爱。

【外貌描写】

写出了老婆婆的外貌特征,表现了她的非同寻常。

看着她：

"孩子，你知道我的名字吗？"

"不知道！"公主回答说。

"我的名字叫艾琳。"

"我才叫这个名字呀！"公主叫了起来。

"是的，其实是我把自己的名字给了你，而不是相反。"

"这是怎么回事呢？"公主迷惑地问，"我可是一向有我自己的名字呀！"

"你的爸爸国王曾经征求过我的意见，想让你用我的名字，我很乐意他这么做。"

【语言描写】
　　这段话暗示了老婆婆身份高贵，非同一般。

"那就太谢谢你了，我喜欢这个名字！"

"哦，不用客气！"老婆婆说，"一个人的名字可以送人，也可以留着，就像一样东西。我还有好多像这样的东西。你想知道我是谁吗，孩子？"

"当然了，非常想知道！"

"我是你祖母的祖母。"老婆婆说。

"可是我听不大懂？"公主问。

"我是你爸爸的妈妈的爸爸的妈妈。"

"噢，亲爱的！这实在太难让人明白！"公主说。

【语言描写】
　　老婆婆的自我介绍，交代了她的身份、地位。

"呵呵，你这个小傻瓜，不过以后你就会明白的，现在我已经告诉你我是谁了。"

"说得对！"公主回答。

"等你长大了，我就会把一切都解释给你听的。"老婆婆继续说，"可是，现在，你只要能懂得这点就行了。我到这里来是为了照顾你。"

"你来了好久了吗？你为什么来呢，是今天来的吧？"

"你刚到这里来时，我就来了。"

"这么说你在这里待了好久好久了！"公主说，"可我从来就不知道你的存在！"

"我想，你是忘记了。"

"我从来也没有看到过你。"

"是啊，不过以后，你还会看到我的。"

【对话描写】
　　对话描写体现了祖母的神秘与神通广大。

"你总是睡在这间房间里吗？"

"我不睡在这里，我睡在楼梯对面的房间里。可是，白天我多半坐在这里。"

"这里可比不上我住的地方！我的房间漂亮多了。既然你是我祖母的祖母，那你一定也是一位皇后吧？"

"是的，我是一位皇后。"

"那么，你的皇冠呢？"

"放在我的卧室里。"

"我想看看。"

"会让你看的，不过现在还不行。"

"我觉得好奇怪，保姆从来没有告诉过我关于你的事。"

"保姆不知道，她也没有看到过我。"

"可是，总该有人知道你在这房间里吧？"

"没有人知道。"

【对话描写】
刻画了一位充满神秘感的老婆婆的形象。

"那你每天吃什么东西呢？""我带着我的家禽。""它们是怎么样的呢？""我会让你看的。""谁给你煮鸡汤呢？""我可从来不杀我的家禽。""那我可弄不明白了。""你今天早饭吃的什么？"老婆婆问。"嗯！我吃了面包、牛奶，还有鸡蛋，我猜你一定是吃它们下的蛋吧？""对，聪明的孩子，我吃它们下的蛋。""是不是吃蛋才使你的头发这么白的呢？""不是，亲爱的。那是因为上了年纪，我很老了。""我也是这样想的。你有五十多岁了吧？""比这还要大呢！""你一百岁了吗？"

【语言描写】
这句话表明了老人年龄之大，体现了她的神秘。

"你这小脑袋可猜不出来。来看看我的家禽吧！"

老人站了下来，她拉着公主的手，领着她走出房间，打开楼梯对面的那扇门。公主以为，她会看到一大群母鸡和小鸡，可是没想到，她看到的是蓝色的天空，宽敞的屋顶，屋顶上有一大群可爱的鸽子。大都是白鸽，也有一些别的颜色的鸽子，它们走来走去，互相鞠着躬，打着招呼，用一种她听不懂的语言在讲话呢！她高兴得拍起手来。鸽子受了惊吓，拍打着翅膀，呼啦一下子全飞了起来,反倒把公主吓了一跳。

"这么多呀,"公主微笑着说,"它们可真可爱啊! 它们的蛋很好吃吗?"

"是的,很可口!"

"你得用一只很小很小的调羹来舀鸽蛋吧? 要是养母鸡,它们下的蛋不是更大一些吗?"

"要是养母鸡,我拿什么东西来喂它们呢?"

"我懂了,"公主说,"鸽子自己会找东西吃,它们会飞。"

"你说得非常对。如果他们不会飞,不会自己出去觅食,我就不能吃到他们的蛋了。"

"你是怎样拿到蛋的? 它们的窝在哪里?"

老婆婆把门边墙上的一根细绳子拉了一下,一扇活

> 【语言描写】
> 　　公主迅速得知原因,表现了她的聪明伶俐。

动窗板打开了。里面有好多好多鸽子窝,有的里面有小鸽子,有的里面有鸽蛋。鸽子从另一边进来,她从这边拿蛋。她轻轻关上活动窗板,以免让小鸽子受惊。

"真是太好玩了!"公主叫了起来,"现在我好想吃一个它们下的蛋啊?我好饿!"

【语言描写】
这段话表明老婆婆对这里的一切了如指掌。

"下次我会给你吃的,现在你得回去了,保姆要急坏了,她一定在到处找你呢!"

"她可找不到这里。"公主说,"哦,要是我告诉她,你是我的祖母的祖母,她会大吃一惊的!"

"是的,她会吃惊的。"老婆婆奇怪地笑笑,"记住,今天的事你完全可以讲给她听。"

"我会的。能请你送我到她那儿去吗?"

"我不能送你下楼,不过,我可以陪你走到楼梯口。然后,你快点儿下楼,回到你自己的房间去!"

小公主拉住老婆婆的手,老婆婆领着她,找到顶楼的楼梯口,陪着她走下一层楼梯。然后站在那里,目送着她走下最后一层楼梯。

【承上启下】
老婆婆到底在纺什么呢?设置悬念,照应前文,引出下文。

很快地一阵惊呼声从下面传来了,原来保姆发现了迷路的小公主。老婆婆没有说话,她飞速地回到自己的简陋小屋。然后她又坐下来纺纱,她到底是在纺什么呢,很快你就会知晓答案的。

阅读与理解

【名师点拨】

老婆婆的出场推动了故事的发展,语言描写突出了老婆婆的神秘。

【回味思考】

1.神秘老人是谁?

2.神秘老人靠什么生活?

小小纷争

名师导读

小公主向保姆讲了神秘的老人，但保姆根本不相信她的话，从而引发了小小的纷争……

"你可真把人急死了，我的公主大人？"保姆把公主抱在怀里，问道，"你出去这么长时间，我真怕万一他们……"说到这儿，保姆突然住了口。

"你刚才说的他们是谁？"小公主问。

"我乱说的，没什么，告诉我你到哪儿去了。"

"我爬了好长好长的楼梯，上去看我的很老很老的老老祖母。"公主说。

"呵呵，你在讲故事吗？"保姆以为小公主在逗她玩儿呢。

"我真的去看我的老老祖母去了。你一定猜不到她是一位多么美丽的祖母，她是一位那样漂亮的老婆婆！那可爱的白头发，白的像雪。哦，她的头发一定是银丝做的。"

"你怎么能瞎说呢？公主！"保姆说。

"我没有，"艾琳回答道，她觉得好委屈，"她很高大，而且十分漂亮！"

"哦，我想是吧！"保姆说。

"她靠吃鸽蛋过日子。"

"是吧。"保姆说。

"她坐在一间空房间里，整天纺纱。"

【设置疑问】

公主的反问表明她对妖魔的存在毫不知情。

【语言描写】

由此可见，保姆根本不相信公主说的话。引出下文。

"那我不怀疑。"保姆说。

"她把皇冠放在卧室里。"

"不错的地方,我想,她准是戴着皇冠睡在床上。"

"这倒没有问她,不过我想她不会这样做吧,这样可睡不好觉。我想,爸爸也不会把皇冠当睡帽戴的。对吧,保姆?"

"我没有问过他,我想他是戴过的。"

"我到这儿来的时候,她就在这里了,已经住了好多年了。"

保姆一直不相信公主说的一切,所以她只是有一搭没一搭地应和着公主的话:

"那么,你怎么不早告诉我呢?"

"这还用她说吧,你把故事都编好了。"

"难道你觉得我在撒谎吗?"公主大声叫起来,她气得脸都红了。

"当然了,公主?"保姆冷淡地说,"我知道公主们都爱编故事,可是你编了故事,还希望别人相信这些故事,我还从来没有听说过呢!"

听了她的话,小公主伤心地哭了。

"好吧,但我还是要说,"公主一哭,保姆便大伤脑筋,"讲故事还要别人相信可是不好的,因为你是一个公主啊!"

"可是我告诉你,这些完全都是真的。"

"我想你一定是睡着了,梦到了刚才的一切。"

"不是这样的,我压根就没有睡觉!我走上楼梯,迷路了,要不是遇到那位美丽的老婆婆,我还跑不回来呢!"

"嗯,那倒是的。"

"好吧,现在你跟我上去,看看我讲的是不是真话。"

"我还有别的事要做呢!我真的没有时间浪费在这些故事上。"

午餐很丰盛,但是公主几乎没有吃,她正在伤心呢。因为她说的句句是实话,却没有人相信,真正的公主从

【语言描写】
简单干脆的回答,表明保姆对小公主的话不相信。

【行为描写】
保姆的不信任,深深地伤害了单纯善良的公主。

【直接讲述】
这句话表明公主对保姆的话的在乎和听了这些话之后的伤心。

来不会说谎。所以整个下午,她一句话也不说。只有当保姆问她话时,她才回答一两句。因为真正的公主总是彬彬有礼的,即使受了人家的冒犯,也不能失去礼貌。

保姆发现公主不高兴,十分后悔说了不该说的话。因为她很喜欢公主,她埋怨自己惹公主生气了。因为自己脾气不好,公主才不高兴的。她没有想到因为自己不相信公主,深深地伤了公主的心。

就这样,一直到了夜晚,公主还是闷闷不乐。她想拿玩具解闷,可是玩得毫无兴趣,因此保姆也越来越坐立不安了。上床的时候,她给公主脱完衣裳,让公主躺上床,小公主没有像往常那样和她亲吻道晚安,而是背过身子静静地躺在那儿。保姆很伤心,哭了起来。听到哭声,公主回过身来,像平时那样,凑上去吻她。可是,保姆用手帕蒙着眼睛。

"保姆,"公主开口说,"你真的不相信我说的话吗?"

"是的,我不相信!"保姆回答说,又有点儿生气了。

"哦,那就没有办法了,"艾琳说,"我不会再惹你伤心了,请让我亲亲你就睡觉。"

"你真是个小天使!"保姆高兴地叫起来,把她从床上一把抱起来,紧紧搂在怀里,一边亲一边在房间里走来走去。

"你会让我领你去看看我亲爱的祖母,是吗?"保姆把公主放上床去,公主问道。

"你不会再认为我很难看了,是吗,公主?"

"你为什么会这样想?我可从来没有说过你丑。"

"你虽然没说,可是心里却这么想呢!"

"你怎么能知道我心里想什么呢?"

"你说我不像你祖母那样漂亮……"

"是的,我说过,我可以再说一遍,因为这是真的呀!"

"这样看来,你真得有点儿讨厌我了!"保姆说着,又要哭出声了。

"亲爱的保姆,你知道人人都长得一样美丽,这是不

【行为描写】
　　保姆的哭泣表明了她对公主的在乎与喜爱。

【语言描写】
　　语言描写突出了公主的诚实与真诚。

可能的。你也很好看，不过，要是你能像我祖母一样美……"

"讨厌的祖母！"保姆说。

【语言描写】
　表现了公主的纯真、可爱。

"保姆，这是很不礼貌的。这样就没法跟你讲话了，除非你态度好点儿。"

公主又把身子转了过去，保姆感到很难为情。

"对不起，公主，我真要请你原谅！"保姆说。尽管还有点儿生气，不过，公主不计较她的语气，只注重她说的话。

【语言描写】
　语言描写，可以看出公主的反应之快，体现了她的聪明伶俐。

"你不会再这样说话了，我想。"她又回过身来，对保姆说，"我想说的是，假如你有现在两倍那么好看，国王或者别的贵人说不定就要来娶你了，那时叫我怎么办呢？"

"你可真会说话呀，我的小公主。"保姆笑了起来。小公主转过脸问她："那么，你同意陪我一起去看我的老祖母了吧？"。

"是的。"保姆回答。

"就这么说定了。"小公主转过身，一会儿就进入了梦乡。

阅读与理解

【名师点拨】

　通过两人的对话，从侧面反映了老婆婆的神秘，也突出了两人关系的亲密。

【回味思考】

1.保姆相信公主的话吗？

2.公主为什么哭泣？保姆为什么哭泣？

梦还是现实

名师导读

公主对自己的遭遇深信不疑，决定再去找老婆婆时，却再也找不到了，于是她对自己产生了怀疑。

当小公主再次醒来时，天已经亮了，外面的雨还在哗啦啦地下着。不过小公主睁开眼睛想到的第一件事情就是昨晚对保姆的承诺。

她躺在床上想要不要一吃完早饭，就叫保姆和她一起上楼去见见老祖母，实现昨天晚上的诺言呢？但是，说不定老祖母也不喜欢不经她同意就带人去看她呢！她靠吃鸽蛋过日子，又自己做饭，很明显她是不愿意让屋子里的人知道她在那里。想来想去，小公主有了主意，最好自己再去见见老祖母，然后征求一下她的意见，再把保姆叫去也不迟。

由于心情愉快，公主的胃口也变得很好，早饭吃了好多。

"我不知道，露蒂(这是她对保姆的爱称)，鸽蛋的味道是什么样的？"她吃鸡蛋时，这样问道。她吃的可不是普通的鸡蛋，厨师总是替她挑选粉红色的鸡蛋。

"我们可以给你拿一个鸽蛋来，你自己尝尝味道。"保姆说。

"哦！不，不要！"艾琳回答说，她突然想到他们去拿鸽蛋时也许会打扰老婆婆。即使不打扰她，她也要少一个鸽蛋。

【反衬】

这句话表明了公主对这件事的重视。

【心理描写】

从这句话可以看出公主的礼貌和体贴，以及对老祖母的尊重。

【语言、心理描写】

语言描写和心理描写表明了艾琳的善良，以及对他人的尊重。

"真是理解不了你，"保姆说，"起先要鸽蛋，一会儿又不要了。"

不过保姆是笑着说的，并没有恶意。

"露蒂，我这样做也是有原因的。"她回答说，可是没有说下去，她不想引到上次那个吵嘴的话题上去，她怕保姆在她取得祖母同意之前就提出要上去瞧瞧。当然她也可以拒绝带保姆上去，可这样保姆就会更不相信她的话了。

由于王宫里的事情还很多，所以保姆很快就去忙别的事情了。小公主从来都是十分懂事的，因此她根本没有想到要去监视公主。不久她就让公主抓住了一个机会，于是公主马上悄悄溜出房门，又走上了楼梯。

公主从一条走廊跑到另一条走廊，却找不到通往顶楼的楼梯。我想她大概爬得不够高，没有走上第三层楼，而是在第二层楼里找寻。当她折回来想要下楼时，她连下去的楼梯也找不到了。她又迷路了。

小公主又开始哭鼻子了。

哭了一会儿，她觉得这样也不能解决问题。于是她站起身来，擦擦眼睛，又开始重新寻找。这一回，尽管她没有找到一条上楼的楼梯，却找到了下楼的楼梯。显然，这虽然不是上次下楼的那个楼梯，但总比一个也找不到好，因此她就一面走下去，一面快活地唱着歌。

走完最后一级阶梯，她惊奇地发现自己竟来到了厨房里。虽说公主一个人时是不允许去厨房的，但保姆却常带她去那儿的，她是大家的小宝贝嘛！所以她在厨房一出现，大家都拥上去，都想抱抱她。

保姆很快就找到了她，并把她抱了回去。幸亏她没有问公主是怎么到这儿来的，公主也不想告诉她自己的冒险经历。

现在，公主真得有点儿相信保姆的话了，也许她真的是做了一个梦吧。如果不是梦，她就应当有能力去证明。可是现在，那个老婆婆像是从来就没有存在过一

【解释说明】
　　保姆的忙碌和公主的懂事为公主创造了便利。

【动作描写】
　　这段话表现了公主的天真可爱。

【动作描写】
　　大家的反应体现了大家对小公主的宠爱。

样,一想到自己找不到她,小公主就想哭。她真不知道自己应该相信什么了。

阅读与理解

【名师点拨】

　　心理描写突出了公主的善良、体贴、有礼貌。寻而未遇的经历更增添了老婆婆的神秘感。

【回味思考】

　　公主找到老婆婆了吗?

巧遇小矿工

名师导读

公主和保姆出去散步,惊慌之下迷路了!这时妖魔出现了,危急之时,遇到了小矿工……

又一天过去了,天色已大亮,可是雨还是没有停,反而下得更起劲了。

小公主看到天气没有转晴,真想大哭一场。不过乌云不再是暗灰色的,云里透出一线光亮,慢慢地越来越亮,直到变得很耀眼。

快到傍晚的时候,天终于放晴了。小公主高兴得直跳:

"瞧呀,露蒂!太阳洗过脸啦,它多么明亮呀!快把我的帽子拿来,让我们出去走走!噢,亲爱的!我是多么快乐啊!"

【语言描写】
一连串的感叹突出了小公主的开心。

见小公主如此开心,露蒂也很高兴。她拿来了公主的帽子和披风,她们一块儿向山上走去。山路还是那么陡,那么硬,雨水积不住。雨后几分钟,地面已经干得可以散步了。雨过天晴,空气中有一股可爱的泥土的清新味道。

天空湛蓝湛蓝的,那是被雨水洗净了的缘故。路边树木上挂满了一串串水珠,在阳光下,好像宝石闪闪发光。只有从山上流下来的小溪,没有给雨水洗净,那本来是水晶般晶莹的流水变成了浑浊的黄褐色。可是,小溪虽然失去了光彩,但却获得了声响,至少增添了吵

【比喻】
运用比喻,写出了雨后到处一片清新洁净的美丽景象。

闹声。因为小溪涨满了水，所以就失去了原先音乐般的声音。可是，艾琳看着大股大股黄褐色的溪水到处流淌，却满心喜悦。因为小公主一连三天都被雨水困在屋子里，可想而知这对于一个八岁的小孩子来说是多么得令人沮丧。

保姆陪着公主走了很长一段路，这时日已西沉，黄昏已至，保姆几次要求回去。可是公主每一次都请求她再走一小段路，说反正下山比上山容易，只要一转身，很快就能到家的。

这样她们继续往山上走。她们一会儿看看给溪水浇湿的一簇簇蕨类植物，看溪水从它们的头顶上浇下来；一会儿从路旁岩石里捡起一块闪亮的小石头；一会儿又欣赏天空中的飞鸟。

突然，巨大山峰的阴影从她们背后升起，投射到她们前面。

保姆看到这个阴影不由得浑身一颤，连忙抓起公主的手，转身就往山下奔去。

"怎么了，保姆？"艾琳一边跑，一边问。

"我们必须马上回去。"

"可是这儿实在是太好玩儿了。"

可是保姆却十分着急，太阳下山以后，还带着公主在外面逛，那是违反规定的。而现在她们离家差不多有一英里，如果给艾琳的爸爸——国王陛下知道了这件事，准要解雇她。而离开公主，她的心都会碎的，怪不得她要拼命的奔跑。可是，艾琳一点儿也不害怕，她还不知道有什么事可以害怕的，她一面跑一面还不停地讲话。

"露蒂，你干吗跑得这样快？太累人了。"

"那你就别讲话。"露蒂说。

但公主还是不停地讲着，她老是在说："瞧呀，瞧呀，露蒂。"但露蒂压根就不理她，只管往山下跑。

"瞧呀，瞧呀，露蒂！你看到了吗？有一个很滑稽的

【解释说明】
　　说明了小公主满心喜悦的原因，表现了小公主对自由的渴望。

【动作描写】
　　"抓"和"奔"表明了保姆的害怕和逃跑速度之快。

【动作描写】
　　露蒂的不搭理表明了她内心的极度恐慌，只想早点逃离危险。

人在岩石上偷看我们。"

露蒂只是走得更快了。她们走过那岩石，走近了一看，那不过是一块大石头，公主却把它当成人了。

"瞧呀，瞧呀，露蒂，老树底下有个怪东西。瞧它，露蒂！它在对我们扮鬼脸哪！"

保姆跑得更快了，公主脚下一滑摔倒在地上。这是一条坚硬的下坡山路，这下可把公主摔得不轻，她马上大声地哭了起来，可是她能做的只是继续赶路。保姆马上把公主搀扶了起来，继续赶路。

"谁在笑我呀？"公主一面努力克制自己的抽泣，一面问道。她膝盖擦伤了，更跑不快了。

"没有人笑你，孩子！"保姆回答，她几乎要发脾气了。

可是，这时候有一阵傻笑声，从近处什么地方传来，好像是一个含糊不清的声音在说："撒谎，撒谎！撒谎！"

"我的上帝！"保姆尖叫了起来，喘息着，跑得比之前更快了。

"保姆！露蒂！我们走回去吧！"

保姆可没有听公主的话，她把公主抱起来，但觉得抱着她跑太重了，又重新把她放下来。接着她匆匆向四周看了一下，吃惊地叫起来，说：

"我们一定走错了方向，我不知道这是什么地方。我们迷路了，我们迷路了！"

保姆惊慌失措。是的，她们走错了路，跑进了一个小小的峡谷，从这里看不见山下面她们的房子。

艾琳不知道保姆惊恐的原因，因为人们都得到了命令，不许对她提起妖魔的事。公主看到保姆吓成这个样子，也感到很不安。

就在她们不知所措时，一阵口哨声响了起来。

只见山谷里迎面走来一个男孩，就是他吹的口哨。在他们相遇以前，他的口哨声又变成了歌声。他唱的是：

【语言描写】
　　表现了小公主的活泼、可爱、好奇。

【语言描写】
　　这段话反映了保姆的惊慌失措，害怕至极。

【反复】
　　两个"我们迷路了"表现了保姆的着急与害怕

"叮叮！咚咚！当当！

铁锤声声响！

敲啊，打啊，凿啊。

轰啊，炸啊，吼声震荡！

我们劈开岩石，

打开妖魔做宝藏。

瞧那发亮的矿石！

一，二，三——

像金子一样闪光！

四，五，六——

铲子，镐头，鹤嘴锄！

七，八，九——

点亮头上的矿灯。

十，十一，十二——

抓住手中的工具。

我们是快乐的小矿工，

我们不许妖魔吵闹。"

【语言描写】
表现了柯迪的勇敢、无畏。

"别吵了，好不好！"保姆粗鲁地制止他。因为此时此地，提起"妖魔"这个词就使她胆战心惊，她以为这样会引来妖魔。那男孩不知道有没有听见她的话，他还在继续唱下去：

【语言、神态描写】
保姆的粗鲁是她内心害怕的反映。

"十三，十四，十五——

这矿值得筛。

十六，十七，十八——

让我们来赛一赛。

十九，二十——

妖魔来了一大堆。"

【细节描写】
保姆越来越严厉的语言和越来越粗鲁的态度，表明她心中惊恐万分。

"住嘴！"保姆压低嗓子尖声叫道。可是那个男孩子已经走得很近了，还在继续唱下去：

"别作声！赶快跑！

你跑得匆匆忙忙！

妖魔！妖魔！小妖魔！

你跑得跌跌撞撞！

跛子！跛子！跛子！

妖魔！妖魔！妖魔！

跛子妖魔！滚蛋吧！"

　　"你瞧！"男孩子站在她们面前说道，"这就是专门对付他们的。他们受不了唱歌，他们就怕这首歌。他们自己不会唱歌，因为他们的嗓音比乌鸦叫还难听，所以他们害怕别人唱歌。"

　　这时，完全可以看清楚男孩的样子了，从他的装束上一眼就能认出他是国王的矿工。他头上戴着一顶古

【语言描写】
　　说明了男孩子唱歌的原因，原来是对付妖魔的。

怪的帽子,他长得很精神,双眼就像矿井一样漆黑,又像岩石里的水晶一样发亮。他大约十二岁,脸色过于苍白,这是因为他难得在露天活动,很少见到阳光的缘故。即使是蔬菜,不见阳光也会变得苍白的。可是,他看上去很快乐,也很活泼——也许是因为想到自己用歌声吓退了妖魔的缘故。男孩站在她们面前,一点儿也不显得笨拙和粗鲁。

"我看到他们了,"他继续说,"我走上山时,一眼就看到了他们。我想他们大概在跟踪什么人。原来他们在跟踪你们!跟我一起走吧!只要我和你们在一起,他们不敢碰你们的。"

"为什么,你是谁?"保姆问道,她有点儿不高兴,觉得他谈话的态度太随便。

"我是彼得的儿子。"

"彼得是谁?"

"彼得是矿工。"

"没听说过。"

"可是,我是他的儿子。"

"我再问你,为什么妖魔会怕你呢?"

"因为我不怕他们,我熟悉他们。"

"怕和不怕又有什么区别呢?"

"如果你不怕他们,他们就怕你。我是不怕他们的,就是这样。这里,在山上就是要这样。可是,在山底下就不同了。在山底下,甚至连这首歌他们也不完全害怕。要是山底下有人唱这首歌,他们就会站在那里对他狞笑;要是他害怕了,漏掉一个字,或者唱错一句,啊!他们就要对他不客气!"

"他们会把他怎么样?"艾琳声音发抖地问。

"别把公主吓着了!"保姆说。

"公主!"小矿工说,马上脱掉了他的怪帽子,"请你们原谅,我实在不知道,不过你们不应该在外面待得这么晚。人人都知道那是违背国王的命令的。"

"可不是吗,我可要为此事负责的。"保姆说到这儿,着急得又差点儿哭出来。

"我希望他们没有听到你称呼她公主。要是他们听到了,他们一定会认出她来的。妖魔机灵得很呢!"

"露蒂,露蒂!"公主喊起来,"带我回家吧!"

"请你别再讲了,你把我们的公主吓坏了,"保姆气呼呼地对男孩说,"可是,我也找不到回家的路啊。"

"你们不应该在外面待得这么晚。要是你们不害怕,也就不会迷路了。"男孩子说,"走吧,我立刻送你们回家,要我背着公主走吗?"

要是在平时,保姆一定会生气的,她一定会好好地把眼前这个不知天高地厚的矿工之子教训一番的。可是现在,想想自己的处境吧,天都黑了,还带着公主在外面乱转,更可怕的是找不到了王宫的路。这要是让国王知道了,后果还真是不好估计。就在她想这些事情的时候,公主代替他做了回答。

"不用背,我能走,只是没有保姆跑得快。要是你拉着我的手,露蒂也拉着我的手,我就可以跑得很快了。"

于是她就在他们中间,一手拉着一个人。

"让我们奔跑吧。"保姆说。

"不,不行,"小矿工说,"要是你现在奔跑,他们马上会来追你。"

"我不想奔跑。"艾琳说。

"可是我们如果回去得太晚……"保姆没有说下去,因为她知道公主明白她的意思。

"不,露蒂,"那男孩说,"只要我们不跑,他们就不会来碰我们。"

"要是家里人知道我带你在外面待到这样晚,我准会被辞掉的,那我的心就会碎的!"

"辞了你?露蒂,谁会这样干呢?"公主问。

"当然是国王才有这样的权力,孩子。"

"可是,我会告诉他,这都是因为我的过错。这你很

【语言描写】
公主的喊叫表现了她得知妖魔存在后的害怕。

【语言描写】
长期的矿山生活让小矿工对妖魔十分了解。

清楚,露蒂。"

"他不会相信的。我相信他不会的。"

"那么我就哭,就对他跪下来,恳求他不要辞退我亲爱的露蒂。"

保姆听到这句话就放心了,不再说什么。他们朝前走着,走得很快,不过并没有奔跑。

"我想跟你说说话,"艾琳对小矿工说,"可是,我还不知道你的名字呢!"

"我叫柯迪,小公主。"

"很好玩的一个名字! 全名叫什么?"

"柯迪·彼得逊。请问,你叫什么名字?"

"艾琳。"

"全名叫什么?"

"我自己也不大清楚,露蒂,我的全名叫什么?"

"公主只有一个名字,她们用不着全名。"

"噢,那么,柯迪,你就叫我艾琳吧!"

"那可不行,"保姆气愤地说,"他没有权利这样称呼国王的女儿。"

"露蒂,那么他该称呼我什么呢?"

"殿下。"

"殿下! 太不好听了。我不喜欢别人这样叫我,我不喜欢这种名字。柯迪,我的名字叫艾琳。"

"是的,艾琳,"柯迪说,瞥了保姆一眼,很得意能看到她不高兴,"你能让我随便称呼你,真是太好了! 我很喜欢你的名字。"

两位孩子想这一下保姆又要反对了,谁知她一言不发,他们只顾谈话没有注意到保姆现在的表情。她被眼前看到的东西吓坏了,只见她瞪大了双眼,一动不动地瞅着什么东西看,双手也不时地颤抖着。

两个孩子还在热情地谈论着。

"柯迪,多亏你专门绕道送我们回家。"艾琳说。

"我没有绕道,"柯迪说,"在那些岩石的另一边有

【解释说明】
这句话表明保姆害怕妖魔,更害怕因这件事而被国王辞退。

【语言、神态描写】
保姆的气愤反映了公主地位的高贵。

【动作描写】
动作描写突出了保姆的极度害怕。是什么东西让保姆如此害怕呢?

条小路通向我家。"

"你会一直把我们送到安全的地方才走,对吧？"保姆瞧着路当中的那样东西,紧张得透不过气来。

"那是自然。"柯迪回答说。

"亲爱的柯迪,你真好！等我们到家,我要给你一个吻。"公主说。

就在此时,公主觉得保姆狠狠拉了一下她的手,她随着保姆的视线看去,只见路当中的那样东西,看上去像一大圈让雨水冲下来的泥土,开始蠕动起来。一根接着一根,这东西伸出四根长长的东西,好像是两条手臂、两条腿。可是天色太暗,看不清它究竟是什么。保姆浑身上下颤抖起来。艾琳紧紧握住柯迪的手,柯迪没有说话而是唱起了刚才唱过的那首歌:

"一,二——

敲呀！劈呀！

三,四——

炸呀！钻呀！

五,六——

瞄得准！

七,八——

握紧镐！

九,十——

狠狠敲！

快呀！赶快！

讨厌鬼！闷死它！

那个路上癞蛤蟆！

砸死它！

压扁它！

油煎它！

烤干它！

又来一只癞蛤蟆！

叫你们一起完蛋吧！

够了吧！滚蛋吧！"

当最后一个音节从柯迪的嘴边消失时，他一下子跳了起来，向那东西猛冲过去。那东西一下子蹦起来，像只大蜘蛛，笔直爬上了一块岩石。

柯迪哈哈大笑起来，重新拉起艾琳的手。公主紧紧抓住他的手，一声不吭地跟着他走过岩石。又走了一小段路，她发现自己已经走在熟悉的回家的路上，这才开口说：

"你知道吧，柯迪，我不太喜欢你的歌，它听起来有点儿粗野。"她说道。

"可能是有一点儿，"柯迪回答说，"我可从来没有这么想过，我们就是这样唱的。我们这样唱只是因为他们不喜欢。"

"谁不喜欢？"

"妖魔呀！我们就是这样称呼他们为妖魔的。"

"别说了！"保姆说。

"为什么？"柯迪问。

"我请求你别说，请别说。"保姆恳求说。

"好吧，既然你不让我说，我就不说了。虽然我不知道你为什么这样要求我。瞧！下面就是你们那幢房子的灯光，用不了五分钟你们就可以到家了。"

很快，她们溜进了王宫。她们一直走到公主房间的门口，也没有被人发现。

保姆急忙奔进屋里，连对柯迪说声"晚安"也忘了。可是，公主挣脱了保姆的手，伸出手臂想去抱住柯迪的脖子，却被保姆一把抓住，拖开了。

"露蒂，露蒂，我说过给他一个吻的。"艾琳喊道。

"可是你是公主，这样太没规矩。"露蒂说。

【动作描写】

这段话表明了柯迪的歌声对妖魔的威力。

【语言描写】

保姆害怕听到"妖魔"这两个字，突出了她对妖魔的害怕。

【动作描写】

对保姆的动作描写，表现了她的迂腐和等级观念严重。

"可我已经答应他了。"公主说。

"那也不行,他不过是个矿工的孩子。"

"他很棒,一个很勇敢的男孩,而且他对我们这样好。露蒂!露蒂!我已经许了诺言。"

"你真不应当答应他。"

"露蒂,我答应给他一个吻的。"

"殿下,"露蒂说,她突然变得非常严肃,"您必须马上进来。"

"保姆,一个公主不能违背自己的诺言。"艾琳十分肯定地说。她坚持着,站在那里一动也不动。

露蒂也有些不知道应该怎么做了。她其实不知道,像许多国王一样,他们的国王是一位有见识的上等人,他是不会把这两件事都看成坏事的。不管他多么不喜欢女儿去吻一个小矿工,可是他也绝不会让女儿违背自己的诺言。露蒂并不是一个有见识的女人,她不理解这一点,这样就使她左右为难了。她如果坚持自己的意见,公主就会哭起来,这样让别人跑来打听,这件事情也就瞒不住了。没想到柯迪倒替她解了围。

"没关系,艾琳公主,"柯迪说,"你并不一定要现在就吻我,只要你不算违背诺言,我还会再来的。请相信,我一定会来的。"

"哦,谢谢你,柯迪!"公主说道,停止了哭泣。

"晚安,艾琳!晚安,露蒂!"柯迪说完,转身离开,一会儿工夫就不见了。

"别让我再看到他!"保姆自言自语着,把公主抱到房间里去。

"他会来的,我相信,"艾琳说,"你可以相信柯迪一定会守信用的,他会再来的。"

"别让我再看到他!"保姆又说了一遍,不再吭声了。她不想把心里话说出来,与公主再争吵一场。能把公主领回家,没让人看见,她已经心满意足了。不过这件事的发生,给她还来了双重的麻烦,因为过去她只担心那些可恶的小妖魔,而现在他还要防范这个叫柯迪的下等人。

阅读与理解

【名师点拨】

　　动作描写表现了保姆对妖魔的惧怕和惊慌失措,而外貌及语言描写突出了柯迪作为一个小矿工的外表及性格特征。

【回味思考】

　　1.公主和保姆为何迷路?

　　2.谁带公主回家?

井下生活

名师导读

　　勇敢的小矿工柯迪在送公主回家后,继续他的矿工生活。那么矿工的井下生活是怎样的呢?

　　将小公主和保姆送回了家,小柯迪就回家去了。由于认识了公主,柯迪心情快乐无比,所以他睡得十分香甜。

　　半夜里,他突然被一阵奇怪的声音吵醒了,柯迪听了听,然后跳下床,蹑手蹑脚地打开了门。他瞧见窗下有一群矮人,根据他们的形状,他马上认出他们来。不过,他刚开始唱"一,二,三——"他们就立刻四下逃窜,跑得无影无踪。柯迪没有多想,再次跳上床睡着了。

【动作描写】
　　这句话表明勇敢的柯迪并不害怕妖魔。

　　第二天,柯迪回想着夜晚发生的事得出了一个结论,他认为可能是他保护公主,引来了这群妖魔的记恨。不过他可不把妖魔的敌意放在心上,不一会儿,他就把自己的结论忘记了。

　　一吃好早饭,他就跟着爸爸下矿井去了。

　　他们从一块大岩石底下的天然洞口进入矿井,一条小溪从那儿流出。他们沿着小溪往前走了一段,顺着小路,拐过许多弯,走过许多岔道,走下许多石级,通过天然的深坑,最后到了他们正在开采贵重矿石的地方。这一带山脉里矿藏丰富,其中有不少优质的金属矿石。他们拿出打火石、钢片和火绒盒子,点亮了矿灯,戴在头上,然后拿起鹤嘴锄、锤子、铁铲,使劲地干起活来。爸

【动作描写】
　　这句话交代了矿工们的工作方式。

爸和儿子靠得很近,不过不在同一个巷道里工作——矿石挖出来运出去的通道,他们叫它巷道——有时矿脉很小,矿工只能一个人钻到连身子都不能转动的巷道里挖掘,弯腰驼背,非常吃力。他们停下工作,就能听见远远近近都有矿工伙伴在这个大山底下的各个方向工作——有的在岩层里凿洞,好用炸药爆破;有的在用铲子把矿石铲进篓子,好运到井口外;有的在用鹤嘴锄挖矿。如果矿工独自在周围无人的巷道里,就会听到一种比啄木鸟啄树还轻的笃笃声,那是穿过坚硬的岩石,从很远的地方传过来的挖矿的声音。

【场面描写】
　　对矿井工作的详细描写,反映了矿工的辛苦。

　　矿工的生活是十分艰苦的,他们在地底下没日没夜的工作,有时为了多挣几个钱,还得熬夜劳作。这里没有阳光射进来,分不清白天黑夜,容易疲劳和犯困。一些夜里留下来做工的人,第二天早晨会说,当他们停下来休息时,会听到从四面八方传来"笃笃笃"的声响,好像有比白天还多的矿工在干活。大家都知道这是妖魔干活的声音,妖魔只在夜里干活,矿工的黑夜就是妖魔的白天。就是这一传闻让许多矿工辞了职,因为他们不想招引这些妖孽。矿工中最有胆量的是柯迪和他的爸爸彼得·彼得逊。柯迪像他爸爸那样,常常整夜整夜地留在矿里,他也曾经碰到过几个离群的妖魔,但都被他赶跑了。我已经讲过,对付妖魔最好的办法是用诗歌,因为他们害怕诗歌。也许是因为妖魔自己不会作诗,所以特别厌恶诗歌。而那些不怕妖魔的人,都是自己会作诗的人。有一些旧诗非常有效,不过,内容好的新诗,更能让妖魔害怕,使他们逃之夭夭。

【对比反衬】
　　通过对比,反衬出柯迪和彼得的勇敢、大胆。

　　对于这些地下的生灵,我们的小柯迪十分熟悉他们,因为他和他的父亲一样胆大。

　　柯迪已经决定,只要爸爸允许,晚上他就独自留在矿里。这样做,一来想多挣些工资,好给妈妈买条温暖的红衬裙;二来想弄清妖魔昨天夜里为什么到他窗下来。

【心理描写】
　　深夜独自加班,表现了柯迪的孝顺与勇敢。

　　柯迪把这个想法告诉了爸爸,爸爸没有表示反对,因为他很相信儿子的勇敢和智慧。

"可惜我不能陪你，"爸爸说，"我晚上要去拜访一个牧师，再说我的头也痛了一天。"

"你会好起来的，爸爸。"柯迪说。

"是的。我问你，你能够自己照顾好自己吗？"

"是的，爸爸。请您放心吧。"

就这样，我们的小柯迪决定整个晚上待在地下，这可不是随便哪个矿工都敢做的事情。黄昏时分，矿工们都回家了，大伙对他道声晚安，叮嘱他多加小心。看起来，柯迪十分有人缘。

"记得你的诗。"一个矿工说。

"我会的。"柯迪回答。

"就是忘了也没关系,"另一个矿工说,"他会编新的。"

"你们都放心吧,我知道这些家伙最怕什么,而我可以非常自如地应用我的武器来对付它们。"柯迪说这些话的时候显然十分骄傲。见他一副胸有成竹的样子,他的矿工伙伴都放心地离开了。

【语言描写】
表现了柯迪的自信与得意。

阅读与理解

【名师点拨】

对矿井生活的详细描述,突显了矿工们生活的艰辛,小柯迪的语言充分显示了他的勇敢。

【回味思考】

柯迪晚上为什么要留下来工作?

偷听来的秘密

小柯迪在休息时听到了妖魔们的对话，并知道了两个惊人的秘密，他决定一探究竟……

【心理描写】
这句话表明柯迪对妖魔见怪不怪，毫不在意。

小柯迪十分能干，虽然一个人干活他却决不会偷懒。干了一会儿，他听到了一种笃笃的声音，他知道那是小妖精们在作怪，可是这些并不能使他停下手中的活。快到半夜了，他觉得肚子饿了，于是放下鹤嘴锄，从一个潮湿的岩洞里取出早晨放进去的面包，在一堆矿石上坐下来吃晚饭。然后，他背靠岩壁，想休息休息再干。

当他将头靠在一块岩石上时，好像在岩石里面有谁在说话。隔了一会儿，他又听到这种声音。这是妖魔的嗓音——一点儿也没错——他连妖魔说些什么都能听清了。

"我们快点搬家吧？"一个声音在问。

另一个沙哑的声音回答："不着急。那个讨厌的小矿工干得再努力，今晚也不会捅穿这石壁的，他在凿的不是最薄的岩壁。"

"可是，你还是认为矿脉会通到咱们屋里来吗？"第一个声音问。

"可不是吗，只要他移动一下地方，如果他在这儿再挖一两下，"妖魔一面说，一面用手拍拍那块石头，柯迪觉得似乎就是他枕着的那块石头，"那就要挖穿了。不过他现在偏了，循着矿脉挖，得一个星期以后才会挖通呢。不过，不管怎么说，我们还是趁早离开这里的好。海尔弗，你搬这只大箱子。"

【语言描写】
这段话表明妖魔们以搬家来逃避被人发现的危险。

·38·

"好吧,爸爸,"第三个声音说道,"可是你得帮我放到背上,它太重了。"

"有道理,我知道这很重的,可是你强壮得像一座山,海尔弗。"

"爸爸,我很有力气,要不是我的脚,再重十倍也难不倒我。"

"我明白,我的孩子。"

"你的脚不也是一样吗,爸爸?"

"是啊,这件事让我思考了一辈子,为什么我们的脚就这样的软弱无力,可惜我还是没有找到原因。"

"而你的脑袋是这样硬,爸爸。"

"不错,我的孩子,我们的本事就在脑袋上。你想想看,地面上的人打起仗来,还要戴个头盔什么的,哈哈!"

"那些地上的人还穿着鞋子,如果给我来一双,我倒是十分想试试是什么感觉。"

"嗯,咱们不时兴穿鞋。我们的国王从来不穿鞋子。"

"王后是穿鞋子的。"

"不错,那是为了表示身份的缘故。第一个王后,我是指国王的第一个老婆,是穿鞋子的,因为她是从地面上来的。她死后,第二个王后,为了表示不低于第一个王后的身份,也穿起了鞋子,这完全是为了显示身份。她是禁止其他妇女穿鞋子的。"

"我可不喜欢那玩意儿!"另一个声音在说,"虽然我也是女人。"听到这儿柯迪马上判断出这是一家三口在说话,现在这个自称为女人的应该是妈妈了。

妖魔爸爸这时又说话了。

"我刚才不是说了吗,那第一个王后是从地面上来的吗?"另一个说,"我说,这是国王做过的唯一的傻事。干吗他要娶这样一个外来的女人,而且还是我们的敌人?"

"我想他准是爱上她啦!"

"呸,呸,他现在娶了个自己人,不也很快活吗?"

"她不久就死了吗?是他们把她弄死的吗?"

【语言描写】
　　这段话揭示了妖魔们的弱点,这会给柯迪带来帮助吗?

【语言描写】
　　解释了王后穿鞋子的原因。

【语言描写】
　　语言描写,表现了妖魔对地上人的仇恨。

"哦,没有,亲爱的!国王拜倒在她的脚下。"

"那么她是怎么死的?是因为不适应地下的空气吗?""她是在生小王子的时候死的。"

"她多傻呀!我们可从来不会这样。那大概是因为她穿了鞋子的缘故。"

【疑问】

妖魔的疑问表明这些妖魔是从来不穿鞋子的。

"这个我倒不知道。"

"地面上的人为什么要穿鞋子呢?"

"哦,我也在想为什么呢。不过回答以前,我先告诉你一个秘密:我看见过王后的脚。"

"她没有穿鞋子?"

"是的,脱掉了鞋子。"

"是吗?是什么样子的脚?"

"别管它什么样子。你们想得到吗?她脚上有脚趾!"

【感叹】

从这句话可以看出妖魔的惊讶,也表明了妖魔是没有脚趾的。

"脚趾!那是什么?"

"要是没有看到过她的脚,我也不会知道。想想看!她的脚掌上长出五六条细小的东西!"

"哦,怎么会这样!国王怎么会爱上她的?"

"要知道地上的人和我们的不同就在脚上,我现在越来越能理解为什么他们总爱穿着鞋子了。他们根本就离不开那东西,不穿鞋子,他们恐怕连路都走不远的。"

"哦,现在我明白了。要是你再想穿鞋子,海尔弗,我就要打你的脚。"

"不要,妈妈,请你别打。"

"那么你别穿!"

"可是我顶着这么大个箱子……"

接着是一阵可怕的尖叫声。柯迪想那是妈妈在打儿子的脚。

"哎哟,我从来没有懂得过这么多!"第四个声音说道。

【语言描写】

体现了妖魔与人类的不同。

"你的知识还不丰富,"爸爸说,"上个月你才满五十岁。你收拾一下床和铺盖。吃好晚饭,咱们就动身出发。哈哈!"

"你笑什么,丈夫?"

"我笑十年以后的今天,那些矿工就会发现自己碰到大麻烦啦!"

"你这话是什么意思呢?"

"噢,没什么意思。"

"别装了,你明明说漏了嘴。"

"老婆,就是说了你也不会明白。"

"才不是呢,只是你不想告诉我。"

"哈哈!你真聪明。海尔弗,你有一个多么聪明的妈妈!"

"好吧,我想我还是告诉你们。今天夜里大家在宫殿里商量一件事情。等我们一离开这儿,我就到那里去,听听他们怎样商量。我真想看到岩石那边的小坏蛋在痛苦中挣扎的样子。"

> 【巧妙暗示】
> 这句话暗示矿工们即将面临一场灾难。

这时,岩石那边的声音突然变得模糊起来。柯迪只能听见叽叽咕咕的声音,一点儿也听不清他们在说什么。好大一会儿后,他才再次听到了那位妈妈的说话声。

"你到宫里去,那我们干什么呢?"她问。

"我把你们送到我最近两个月挖的新房子里去。鲍奇,你照管好桌子和椅子。这桌子有七条腿,每只椅子有三条腿。我把它们统统交给你了。"

> 【语言描写】
> 妖魔们不仅形状怪异,生活用品也跟人类大不相同。

接着,他们又说起了搬家的事情,没有什么更重要的信息了。

他现在知道了,为什么妖魔要在夜里用锤子和鹤嘴锄干活。他们是在为自己盖新房子呢!每当矿工们挖矿挖到他们住房附近时,他们就准备迁走。柯迪还偷听到两件非常重要的事情:第一件是一场可怕的灾难正在酝酿,不久就会降临到矿工们的头上;第二件是妖魔身上最软弱的地方是他们的脚,这一点他以前是不知道的。他过去听说过他们没有脚趾头。

> 【解释说明】
> 交待了柯迪听到的两件事,为下文作铺垫。

早先时候一位经验丰富的矿工就说过,这些妖魔和地上的人不是一类的,他们是一种古老的人种。

由于他们总是在黑暗中行动，就是见过他们的人也没有机会看清楚他们的外貌特征。他甚至不清楚他们究竟有没有手指头。不过，现在最重要的是他知道了妖魔的脚软弱无力，这会对所有的矿工都大有好处的，而眼下他应该去探明妖魔的阴谋诡计到底是什么。

可是他并不知道妖魔的王宫在哪里。只有现在出发，冒险跟踪这几个说话的妖魔，才能探明他们提到的那个计划。他估计那王宫一定在深山里，和矿山之间还没有通路。不过现在有一条路可以走，只要他能捅开这道石壁，跟在搬家的妖魔后面，事情不就解决了吗？只要凿那么几下，就能捅开石壁，因为他现在就靠着最薄的地方；不过要是他用鹤嘴锄去凿，会引起他们的警惕，使他们很快离开，就不会给他领路了。柯迪用手摸摸石壁，发现有几块石头已经松动了。

【心理描写】

独自一人跟踪一群妖魔，表现了柯迪的勇敢。

他用双手抓住一块大石头，轻轻地抽了出来，又轻轻地放在地上。

"我听到外面有声音？"妖魔的爸爸问。

柯迪吹灭矿灯，免得透过光去。

"会不会是那个留在矿里的矿工。"妈妈说。

"不可能，他走了好一会儿了。已经有一个小时没听到他的声音了。再说，那声音也不像。"

"那么，大概是一块石头给溪水冲走了吧。"

"也许是。溪水把山洞冲得越来越大了。"

柯迪屏息细听，只听到他们准备搬家的声音，柯迪急于想知道搬开石头是否能进入妖魔的房子，他伸进一只手去摸摸。忽然摸到一样软软的东西，他刚摸到那东西，那东西马上缩了回去：原来是一只没有脚趾头的脚！脚的主人吓得怪叫起来！

【动作描写】

通过柯迪的触觉，交代了妖魔脚的样子和软硬程度。

"叫什么，海尔弗？"他妈妈问。

"一只野兽从石壁里钻出来舔我的脚。"

"开什么玩笑！咱们王国里从来没有野兽。"他爸爸说。

"明明是野兽嘛,爸爸,我感觉到了。"

"我们这儿可没有什么野兽,地面上才是各种野兽出没的地方。"

"我没有开玩笑,爸爸。"

"好了,别再说话了,我的儿子。"

【比喻】
运用比喻突出了柯迪的警惕和小心翼翼。

柯迪忍住笑,像老鼠那样,一动不动地躲在那里。每隔一会儿,他就用手指在洞口上推掉一点儿石块儿。他一点一点地把洞口扩大。

【比喻】
运用比喻表现了妖魔们说话声音的含糊不清。

从洞里传来七嘴八舌的谈话声,看来这家子人口还不少,不过他们一起开口,就好像有把刷子卡在他们喉咙里似的,听不清在谈些什么。后来他又听见妖魔爸爸在讲话了。

"喂,"他说,"把包裹都背起来。来,海尔弗,我帮你把箱子背上。"

"这是我背的箱子,爸爸。"

【语言描写】
表现了妖魔们的时间紧迫。

"很快就会给你背的!快点儿。我今晚一定要到王宫里去开会。等开完会,我们再回来搬剩下的东西,要赶在明天早晨矿工进来以前搬完。现在点亮火把,跟我来吧。"很快地,一丝微弱的火光透了过来,就像有一个声音在脑海中告诉了他一样,小柯迪马上就明白了他们是使用打火石点火的。

阅读与理解

【名师点拨】

语言描写推动了故事的发展,交代了妖魔的弱点,并设置了悬念,引起读者兴趣。

【回味思考】

1.小柯迪听到了什么?

2.他决定怎么做?

暗中观察

名师导读

小柯迪暗中跟踪着来到了妖魔的宫殿,他能否探知全部信息呢? 他会不会遇到什么危险?

　　几分钟的猛挖猛刨后,柯迪终于挖开了一个大的可以钻过去的洞口。借着这些妖魔的火光,他看到他们正忙着搬运最后的物资。他很惊讶,原来妖魔的家,就跟他平时看到过的许多岩洞一模一样,一点儿也看不出来曾经是一个家。地面坑坑洼洼,墙上粗糙不平,有的地方高到二十英尺,有的地方低得连站也站不直,一边岩洞顶上还有一股细细的泉水流淌下来,使岩壁湿了一大片。

【直接描写】

对妖魔家的描写,也表明了这是他们无法被发现的一个重要原因。

　　这些家伙忙得热火朝天,谁都没有时间考虑别的事情,所以柯迪可以随心所欲地观察他们。这时他看到海尔弗驮着沉重的箱子,他的兄弟背着一个像大羽毛褥子那样的东西。"他们是从哪里弄到羽毛的?"柯迪心里想。妖魔在拐弯的地方不见了,柯迪抓住时机,轻松地追踪着他们,尽量使自己不发出声音。在拐角处,他小心翼翼地张望了一下,发现他们顺着另一条小路在走。

【细节描写】

妖魔的繁忙给小柯迪的观察提供了便利,也为他的跟踪带来了方便。

　　这时他们来到了一处他从来没有来过的地方,这里没有矿工开凿过后痕迹。洞顶上垂下许多钟乳石,比矿石还要年代久远。满地都是巨大的圆石,说明这里以前曾经有地下水流过。他在拐角处又停住了脚步,等他们消失在下一个拐角处。就这样,一个通道接着一个通

【环境描写】

说明了妖魔们生活的地方年代久远,没人来过。

道，他尾随着他们。通道越来越高，岩洞顶上垂下的钟乳石也越来越多。

要说奇怪的话，最古怪的要算那些挤在妖魔脚边走着的牲口。确实，在他们那儿，没有野生动物——至少他们不知道有什么野生动物，不过他们有许多驯养的动物。至于这些妖魔的动物，我在以后还会再讲到。

就在他们要到达目的地的时候，有一次柯迪差点儿就被他们发现了，因为这时他们已经停下来，把驮着的东西放在岩洞的地上。这个岩洞比他们之前的大得多。妖魔们一个个累得气喘吁吁，连话都讲不出来。

【解释说明】
这句话从侧面反映了妖魔的旧家到新家的距离很远。

柯迪在暗处静静地等待着，等妖魔的爸爸出来到王宫去。没过多久，妖魔的爸爸与儿子海尔弗果然从岩洞里出来，朝着刚才的方向走去。柯迪倍加小心，躲躲闪闪地跟在后面。除了像岩石里流水那样的哗哗声，好长时间他什么声音也听不到。

后来，好像有一阵呐喊声从远处传来，不过这声音很快又停息了。又往前走了一段路，他好像听到一个人在讲话。越往前走，那声音越听得清楚。柯迪跟在妖魔后面又转过一个弯，他立刻又倒退回来——这次倒退是出于惊奇。

【环境描写】
对宫殿的描写体现了妖魔之多，以及势力之大。

呈现在他面前的是一个巨大的岩洞口，只见这椭圆形的巨大岩洞，从前可能是一个天然水库，现在成了妖魔的宫殿。这个岩洞又高又大，洞顶满是闪闪发光的矿石。宫殿里挤满了妖魔，无数火炬把四周照亮，使柯迪能看清洞顶很高很高。

在火光的照耀下，洞中的这些怪石看起来层层叠叠。岩壁上也有许多发光的矿物，有的地方显得闪闪烁烁，五光十色。柯迪禁不住想，面对这一大片黑压压的妖魔，自己的诗歌还管不管用。不过他没有唱出来，因为他想起了自己来这儿的目的——探听他们的计划，挫败他们的阴谋。

大殿那一边尽头，在众妖魔的头顶上，从洞壁上伸出一块巨大的岩石，像一个平台，上面坐着魔王和他的大臣。魔王的宝座是用一大块绿色的铜矿石做成的，大臣们坐在较低的座位上。魔王刚结束他的演讲，大殿里便响起热烈的欢呼声，刚才柯迪听到的就是这种声音。接着有一个大臣开始向群妖讲话，柯迪听到了以下的一些要点：

　　"为了臣民将来的幸福考虑，陛下在他意志坚强的头脑里反复思考着两个计划。他们现在居住的这块地方，最早是属于我们的，我们出于高尚的动机，放弃了这块地方。我们在智力上胜过他们，尽管他们在身材上超过我们。可是，他们不顾所有这些事实，把我们看成是没落的种族，嘲弄我们美好的感情。现在，时机就要到了，由于陛下杰出的智谋，我们就要扬眉吐气了，对他们所有的人进行报复，回敬他们种种不友好的行为。"

　　"请陛下恩准……"靠近洞口一个妖魔大声喊叫起来，柯迪听出来那正是他跟踪的妖魔。

　　"是谁打断了讲话？"宝座旁边另一个大臣大声问道。

　　"是格伦普。"众妖魔齐声回答。

　　"他是我们最信赖的人，"魔王缓慢庄重地说，"让他说。"

　　妖魔群中让出一条路来，格伦普登上平台，先向魔王鞠躬，然后说道：

　　"陛下，如果我能知道刚才大臣提到的时机究竟还有多久到来，我就不会开口了，很可能这一天还没有到来，而仇人已经挖穿了我的屋子。那堵隔开我们与仇人之间的石壁已经剩下不过一尺厚了。"

　　"还没有一尺呢！"柯迪心里想。

　　"所以今天晚上，我不得不搬家。因为陛下已经为这个计划做了如此出色的准备工作，因此，我们要赶快实行这个计划，越快越好。我要再补充一句，最近，在我的厨房里发现了一股水流，这股水流是从地下河里渗出来的。它使我相信，靠近这个地方一定有一个装满河水的深谷。我相信,这一发现有助于实现陛下的计划。"

他说完后,魔王庄严地点点头,表示同意。格伦普朝魔王鞠了一躬,就滑下台来,钻进妖魔群里。这时大臣站起来继续讲话:

"格伦普提供的情况,可能是相当重要的,不过刚才提到的另一个计划,自然应当首先执行。陛下不愿意采取极端的手段,很显然这种手段迟早会导致暴力抗争,因而设计出更全面的根本方法,关于这一点无需我多说。至于陛下一定会马到成功,这一点谁还会怀疑呢?成功以后就会建立起和平,一种有利于我们王国的和平,至少能维持一代的和平。要使和平得到绝对保证,还要由王子陛下立下誓言,并保证他的女方亲属具有良好的行为。万一陛下这一计划不成功的话,那时就要执行格伦普提到的计划。这个计划也已准备就绪,只待去完成。第一个计划的失败势必导致执行第二个计划。"

接下来他们谈论到的都是这些计划的一些细枝末节,看来想打探清楚他们整个计划是没有可能了,还不如趁他们还没有散会前走开,免得被他们发现。想到这儿,柯迪决定马上返回。

这里的地形十分复杂,因为他这时没有灯,全靠记忆和双手去找路。格伦普新岩洞门缝里的亮光消失在他身后不久,柯迪就迷失了方向。

他急于早些钻回矿井去,因为妖魔还要回来搬东西,必须抢在他们回来之前离开。他并不怕他们,而是想要弄清他们的阴谋到底是什么,所以,他不想引起他们怀疑,不想让他们知道自己在监视他们。

他摸索着石壁匆匆向前走着。他很清楚,万一迷了路,再要找到出路是很难的。即使是早晨,阳光也不会照进这些黑暗的地方。他是一个专门编诗与妖魔作对的人,万一落到妖魔手里,妖魔是不会对他客气的。要是随身带着灯和火线盒子,那该有多好,刚才怎么会没有想到呢!他一边走一边想,过了一会儿,他发现走到

【语言描写】
这段话表明魔王对人类有所惧怕,并不想毁灭地上的人类。

【心理描写】
表现了柯迪的机智聪明,在任何情形下都能做出最正确的决定。

【心理描写】
这段话表明一旦迷路,小柯迪的处境将十分危险。

了路的尽头,再也不能往前走了。他用手摸索着前面的岩壁,摸到岩石上,有一股细细的水流在往下淌。太好了,柯迪从心底发出了一声欢呼因为他记得自己就是从这里钻进去跟踪那些妖魔的。

这时,前面有突明突暗的火光,他明白是妖魔,他赶紧伏在地上,钻进洞去。石壁的另一头地面低,爬回去很方便。他抱起那块从洞里抽出来的大石头,好不容易把它又推回到洞里,然后他坐下来,思考起来。

【直接描述】
对整个事情的分析推断,表现出柯迪不一般缜密的思维与聪明机智。

柯迪想着刚才听到的话,他的头脑异常清醒,很快得出了一些结论,看来,他们的第二个计划就是让大水淹没矿井。本来矿井与妖魔居住的地方是隔开的,妖魔没有机会来伤害他们。可是现在这儿一条通路已被打

开,妖魔占据的地势又比他们高。如果让他们得逞,那么用不了几十分钟,整个矿井就会成为一片汪洋。

【心理描写】
　　柯迪在心里分析着当下的情况,表现了柯迪的心思缜密。

　　柯迪想着应对的策略,最好的办法是用石头、黏土或石灰把整个巷道封起来,这样水就流不进来了。不过现在还没有那么急,放水是妖魔的第二个计划,他们首先要实行的计划他现在还不知道。只有当那个计划失败了,他们才会实行这个放水的计划。他很想保留一条可以来去的通路,这样就可以进一步弄清前一个阴谋。至于后一个阴谋,即使妖魔已经凿开了口子,只要矿工们一起动手,一夜之间也能封它个滴水不漏。

　　等妖魔们走后,他马上把矿灯点亮。他选用可以随时抽出来的石块,重新堵住那个洞口,做完了这一切,已经半夜时分了。柯迪感到十分劳累,于是他回到了地面,向家中走去。

【直接交代】
　　这段话表现了柯迪父子的镇定与聪明。

　　他的父亲还没有睡,柯迪将自己今晚听到的和看到了一切都告诉了父亲。他们商议决定,不再继续开凿那片矿区,但是为了不使妖魔产生疑心,他们还得假装一无所知,继续在那周围工作。

阅读与理解

【名师点拨】
　　直接描写交代了妖魔的居住环境和妖魔的势力之大,这也从侧面反映了柯迪的勇敢。

【回味思考】
　　1.通过跟踪,柯迪了解到了什么?
　　2.回家后他决定怎么做?

公主和父王

名师导读

国王来看望公主了,艾琳十分地高兴。而在不多的见面时间里,他们会谈到什么呢?

这几个星期,小公主玩儿得十分开心,她每天都缠着保姆带她上山玩,可是自从上次亲眼见到妖魔后,保姆变得异常敏感多疑。有时,只是一朵乌云遮住太阳,在山坡上投下阴影,保姆就急匆匆地拉着她往回跑。有好几个傍晚,她们回家以后,太阳还在马厩的风标上停留了个把小时呢!要不是因为这些,艾琳早该把妖魔的事忘得一干二净了。她从来没有忘记柯迪,不光是因为柯迪本身的缘故,还因为一个公主是不会忘记她欠别人的情分的。

【对比】

这段话从侧面反映了,上次迷路事件让保姆对妖魔更加惧怕,更加小心翼翼。

这天下午,小公主正在玩儿,突然听到远远传来一阵军号声。她欢呼着跳了起来,因为她知道,这是她的父王来看她了。花园就在小山的斜坡上,从这里可以眺望下面的乡村。她踮起脚尖向远处眺望。不多一会儿,只见一小队士兵雄赳赳地登上山来。长矛和头盔在阳光下闪闪发光,锦旗飘扬,骏马嘶鸣,接着又响起了军号声。在艾琳听来,这号声就好像她爸爸在呼喊:"艾琳,我来啦!"这队人马渐渐走近,公主能够看清她的父王了。国王骑着一匹白马,他比随从的人员高出一头。他头盔上有一圈镶珠宝的金环。再走近些,艾琳看得清他身上的宝石在阳光下闪烁。父王已经好久没有来看她

【外貌描写】

对国王外貌、着装的描写,突出了国王气度非凡。

了,因此,这队人员越走近,她的心也跳得越快。她非常爱她的父王,非常想让爸爸抱在怀里。于是她飞身跑到门口,等着爸爸来。

当看到自己的女儿时,国王露出了会心的笑容。艾琳飞快地跑到白马旁边,伸出双臂。国王抓住了她的双手,把她紧紧抱起来,坐在马鞍上。国王有一对温柔的蓝眼睛,一个挺挺的鹰钩鼻。他那黑色的长胡子,夹杂着几缕银丝,从嘴边一直垂到腰部。艾琳坐在马鞍上,快活地把脸藏在爸爸怀里。妈妈给予她的金发靠着国王的黑胡子,仿佛是金色的阳光镶嵌在乌云边上。

国王对白马说了一句话,那匹昂首阔步的骏马,立刻像个贵妇人似的缓缓而行,它已经知道背上还坐着一位小公主。到了房子门口,国王先把公主放到地上,然后自己下马,拉起她的手,和她一同走进大厅。这个大厅平时很少用到,只有国王来看望小公主时才派上用场。他们一起坐下来,享用着仆人们端上来的美味食品。

吃饱喝足后,国王抚摸着公主的头发,问道:

"我的孩子,我们接下来干什么呢?"

差不多每一次他们一起进餐以后,国王总是要这样问的。艾琳在耐心地等待这个机会,因为她早就想弄清一个一直使她迷惑不解的问题。

"我想请你带我去看我的老老祖母。"

国王严肃地问道:

"艾琳,你在说什么?"

"我说,艾琳皇太后住在顶楼上,你知道,那位有着一头银色长发的老婆婆。"

国王看了看她,公主不能理解他的表情。

"她把皇冠放在卧室里,"艾琳继续说,"不过我还没有到那里去过。你知道她在那儿,是吗?"

"不知道。"国王平静地回答。

"哎!"小公主叹了口气说,"我这才知道自己被一场梦给骗了,怪不得我第二次去找她怎么也找不着。"

这时，一只雪白的鸽子从窗口飞了进来，停在艾琳的头上。公主欢快地笑起来，畏畏缩缩地把手举到头上去，说道：

"亲爱的鸽子，你别啄我，你的长爪子会把我的头发抓掉的！"

国王去捉鸽子，鸽子展开翅膀从窗口飞出去，白色的身影在阳光中一闪就不见了。国王把手搭在公主头上，注视着她的脸，似笑非笑，有点儿像叹息地说：

"孩子，我们到花园里去散散步。"

"那么，你不上去看看我那美丽的老祖母了，父王？"公主问。

"这次不去了，"国王非常温和地说，"她没有邀请我。你知道，像这样一位年老的贵妇人，没有她的许可是不能去拜访她的。"

【语言描写】

国王的话证明了老祖母的存在，说明这并非是艾琳公主的一场梦。

这个花园坐落在一个山坡上，修葺得十分有诗情画意，有些地方满是怪石，有些地方又是遍地青草。一簇簇石南和耐寒的高山野花丛生在一起，旁边有许多人工种植的玫瑰、百合和别的庭院花卉。这种荒山野岭与人工花园的奇妙结合，是任何园艺匠都做不到的。

他们来到一片阴凉处，在一个长椅上坐了下来，父女两人谈论了许多有趣的事情，最后国王说：

"有一天傍晚你在外面待到很晚，艾琳？"

"是的，爸爸。这是我的过错，露蒂很难过。"

"我必须找露蒂谈谈。"国王说。

【语言描写】

从这句话可以看出国王对公主的关注，任何事都瞒不过国王。

"那么请您不要生她的气，爸爸，"艾琳说，"那次回来晚了，她一直怕得要命！她确实没有不听命令。只有这一次。"

国王坐在那里沉思了一会儿。四周没有别的声音，只有一条小溪从椅子旁边的岩洞里流出来，流水发出欢快的声响，穿过花园。后来，国王站起身来，把艾琳留在花园里，自己走进屋子，派人找来露蒂，跟她谈话，露蒂大哭了一场。

黄昏时分,国王骑上大白马走了。他留下六个卫兵,命令他们三人一班在屋外轮流巡逻,从日落一直到日出。很显然,对于公主的安全他很不放心。

阅读与理解

【名师点拨】

场面及外貌描写反映了国王非凡的气质,动作、神态、语言描写表明了国王对公主的关心。

【回味思考】

1.公主向国王提出了什么要求?

2.国王为什么没有答应公主的要求?

老祖母的神奇卧室

名师导读

艾琳终于再次见到了老祖母，并看到了老祖母的神奇卧室。在祖母的邀请下，公主留在老祖母那儿，第二天却奇迹般地回到了自己的床上。

【拟人】

四个"一会儿"表现了天气的反复不定，变化多端。

【举例证明】

这段话充分表现了这儿所有人对公主的宠爱。

秋天到了，气候变得清爽起来。不过有时候这天气就像一个让人捉摸不透的孩子，一会晴，一会阴，一会儿狂风大作，一会又阳光明媚。

通常在秋雨后会紧接着一个可爱的晴夜，万里无云，天空中布满了璀璨的星星。公主却没有眼福好好看看这一切，因为她每天早早就上床休息了。

寒冷的冬天终于到来了，外面下着大雪，不能出去玩儿，露蒂就带她到屋子里的各个房间去走走。有时带她去女管家的房间，女管家是一位和蔼、善良的老妇人，她待公主很好。有时候艾琳去门厅或厨房，在那里，大家就像对待皇后一样对待她，真有把她给宠坏的危险。有时她独自溜进守卫的房间里，卫兵们会把武器和盔甲拿给她看，想方设法逗她高兴。可是小公主还没有忘记她的老老祖母，那次神秘的会面还历历在心，她还是分不清到底是现实还是梦境。

这一天，保姆有别的事情要做，于是请管家照顾公主一会儿。为了使公主高兴，女管家把旧碗橱里的东西统统拿出来。小公主发现了各种各样的宝贝，有古怪的旧装饰品，还有许多她不知道有什么用处的东西，这可比她的玩具有趣多了，她坐在那里玩了两个多小时。

她发现了一支稀奇古怪的老式胸针，就在她拿着它玩得高兴的时候，一不小心针尖儿刺进了她的大拇指，痛得她尖叫起来。手指头很快肿了起来，还越来越痛，这可把女管家吓坏了。保姆和医生都来了，给她的手指敷了止痛药，又早早地把她送到床上去了。手指还在痛，但她还是睡着了。她做了好几个梦，每个梦里她都梦到手指痛，最后她给痛醒了。

【梦境描写】
这句话突出了小公主受伤，手指疼痛。

月光从外面照射进来，小公主珠手指滚烫滚烫的。她想，要是能把手指放进月光里，一定会感觉凉一些。于是她从床上下来，没有惊动睡在房间另一边的保姆，走到窗口。窗外一个卫兵正在花园里踱来踱去，月光照着他的盔甲，闪闪发光。她想敲敲窗，把这件事告诉他。可是再一想，这样会弄醒露蒂，她会把自己再送回床上去。于是，她决定到隔壁房间的窗口去叫他。

【心理描写】
表现了小公主的机智聪明。

这时，小公主十分想找个人谈谈话。她悄悄打开房门，穿过活动室，走向另一个房间的窗口。当她走过那旧楼梯跟前时，月光从窗户里照进来，那虫蛀的橡木扶梯看起来精致可爱。她把小脚踏在银色的楼梯上，一步一步地朝上走，一面回过头来，瞧她自己映在楼梯上的影子。换了别的小女孩，这样深更半夜的独自一人，一定会很害怕的。艾琳毕竟是个公主，她可一点儿也不怕。

她慢慢地走上楼去，自己也不知道是不是在做梦，她的心里有一种渴望，她要试试看，看能不能再找到那位满头银发的老婆婆。

"假如我是在梦境中，"她对自己说，"那么，要是我在做梦，就可能会找到她。"

她一步一步走上去，走过一道又一道楼梯，走到许许多多房间前面——跟上次看见的一模一样。她轻手轻脚地从一条走廊走到另一条走廊，一边安慰自己，就是迷路也没什么，反正一觉醒来，又会发现睡在自

【动作描写】
再次看到相同的景象，那么艾琳公主能看到她的老祖母吗？

己床上。但这次好像对每一步路都很熟悉，很快走到一扇门前，跨过这扇门，就有一道又窄又长的楼梯通向顶楼。

小公主一边走着一边想象着她的美丽老祖母，她相信这一次自己会达到目的的。

这时，她发现自己已经到达了屋顶。她站在黑暗中仔细听了一会儿。正是那声音！纺车的嗡嗡声！祖母多么勤劳啊，白天黑夜都在干活！

她轻轻敲了敲门。

"进来，艾琳。"一个甜蜜的声音说。

果然不出所料，当她打开门时，在窗口倾泻下来的月光中，坐着一位老婆婆。她穿着一件白色花边的黑衣服，银色的头发与月光交织在一起，分不清哪是头发哪是月光。

"进来，艾琳，"她又说道，"你能告诉我，我正在纺什么吗？"

"她讲话了，"艾琳心里想，"她到像是完全知道我要来找她似的。"

她回答说："我不知道你在纺什么，我还以为你是个梦呢！为什么我前几天上来找不到你呢？老老祖母！"

"你还没有到懂事的年纪嘛！只要你不当我是个梦，你就会很快找到我的。我还可以告诉你一个原因，你找不到我，那是因为我不想让你找到我。"

"为什么呢？"

"因为我不想让露蒂知道我在这儿。"

"可是，你叫我告诉露蒂呀。"

"当我让你这样做时，我明白，露蒂不会相信你。就是她看见我坐在这里，她也不会相信的。"

"为什么？"

"她就是这样的。她会揉揉眼睛走开，说自己很奇怪，然后就把这事忘掉了一大半，事后会说这是一

【语言描写】
这段话表明老婆婆已经知道公主来找她，她对公主的行动了如指掌。

【语言描写】
解释说明了小公主前几天上来找不到老祖母的原因。

场梦。"

"像我一样。"艾琳说，她感到很羞愧。

"不完全一样，因为你又来了，露蒂可不会再来了。她会说，这种胡闹她已经受够啦！"

"那么，露蒂又是有点儿不讲道理吗？"

"我看不讲理的是你吧，我的小宝贝，我没有为露蒂做过什么事，她凭什么要相信我呢？"

"可是，你却帮我洗脸、洗手。"艾琳叫了起来。

老祖母甜甜地一笑，说道：

"我可没有生你的气，孩子，也没有生露蒂的气。不过，你别对露蒂再提起我了。要是她问起你，你也别说。"

老人一边纺着她的纱一边和小公主说着话。

"你还没有告诉我，我在纺什么。"她说。

"我不知道！那一定是很好看的料子。"

说得对。纺车轮子的绕线杆上，已有一大团线，在月光下闪闪发光——它有点儿像银色，不过闪出的光彩又带点儿灰色。老婆婆把线从纺车上取下来，那线细得艾琳几乎看也看不见。

"这是我为你纺的，孩子。"

"为我纺的？可是这线对我有什么用处呢？"

"我会在以后时机合适的时候说给你听的。不过，我先得告诉你这是什么。这是蜘蛛的丝，是一种特别的蜘蛛丝，我的鸽子漂洋过海，给我背来这种蛛丝。世界上只有一座森林里有这种蜘蛛，这种蛛丝看起来很细，但是它们非常结实，我快要纺完了。现在线已经够长的了。不过我还得纺一个星期。"她看了看线团说。

"你整天整夜都纺线吗，老老老老祖母？"公主问道，她加上许多"老"字，以为这样会显得更加尊敬。

"哈哈哈……"祖母愉快地笑起来，"叫我祖母就行了。我不是天天晚上都工作的，有月亮时我才工作，工作到月亮照不到纺车就停手，现在我就要停下来了。"

"那么接下来你做什么呢？祖母！"

【语言描写】
艾琳的话反映了她的诚实，善于自发反思。

【语言描写】
从老祖母的话，可以看出她的正直、善良，并没有低看下人。

【语言描写】
这段话表明老祖母对公主的关心与爱，而老祖母为什么要给公主纺线呢？

"当然是去睡觉了！你想看看我的卧室吗？"

"是的，非常想。"

"那么，跟我来吧。"

老婆婆站起来，让纺车留在那儿。她不用把它收起来，因为房间里没有家具，不会弄乱的。

【叙述说明】
　情节设置，引出下文。

老婆婆拉起艾琳的手，拉的刚好是那只受伤的手，艾琳痛得叫了起来。

"艾琳！"祖母问，"你怎么啦？"

于是小公主就把自己被刺伤的事情从头到尾和老人说了一遍，老人十分心疼地说："把你的另一只手给我吧！"于是就领她走出房间，穿过漆黑的楼梯口，打开了对面的房间。

【直接描写】
　对老婆婆房间的直接描写，表现了卧室的美丽和神秘。

当房间的门打开时，小公主惊呆了。只见那房间又高又大，圆穹形屋顶的中央挂着一只圆球形灯，像明月一样发出光芒，照得房间里样样东西都清清楚楚。可是，公主还是觉得自己有些朦朦胧胧的，说不出是为什么。房间中央是一张鹅蛋形的大床，上面有玫瑰红的床罩，床的四周围着浅蓝色的丝绒帐帷，十分可爱。墙壁也是蓝色的，上面点缀着许多亮闪闪的银色星星。

老婆婆走到一个看起来很别致的大橱前，打开橱门，拿出一只古怪的银盒子。她坐在一只矮椅上，叫艾琳跪下来，把手拿给她看。她先检查了伤口，然后打开那个银盒子，取出一点儿油膏。房间里顿时充满了一种好闻的香味——像是玫瑰花和百合花的香味。老婆婆把油膏轻轻抹在她滚烫的肿手指上，公主觉得凉丝丝的非常舒服，那疼痛和灼热的感觉好像被赶跑了。

【细节描写】
反映了老婆婆的药作用神奇。

"哦，祖母！真是太好啦！"艾琳说，"谢谢你，谢谢你！"

接着，老婆婆又从五斗柜里拿出一块很大的薄纱手帕，把她的手包了起来。

"你今天就留下来吧，"她说，"你愿意跟我一起睡吗？"

"太好了，亲爱的祖母！"艾琳说，高兴得忘了手痛，几乎要拍起手来。

"这么说，你不怕跟一个老年人睡在一起？"

"那当然了。"

"可是我已经很老了。"

"我也很小。跟这样一个非常幼小的女孩睡在一起，你不会介意吧，祖母？"

"你这小嘴可真会说话！"老婆婆说完后，吻了吻她的额角、面颊和嘴巴。接着，老人拿一个大银盆盛满了热水，替艾琳洗脚。洗完脚，艾琳睡到床上去。啊！祖母的床多么舒服啊！她说不出是睡在什么东西上面，只有软绵绵的感觉。老祖母脱掉衣服，睡在她旁边。

【动作描写】
老婆婆的吻和亲自为艾琳盛水洗脚充分表明了她对艾琳公主的疼爱。

"你为什么不熄灭你的月亮？"公主问。

"它永远不会熄灭，不管是白天还是黑夜。"祖母回答。"就是在最黑暗的夜里，我的鸽子飞出去替我办事，它们也能看到我的月亮，知道该往哪儿飞。"

【语言描写】
祖母的月亮不仅好看，而且还有特殊的作用。

"可是除了鸽子，还会有人看见它的——我说屋子周围的人——他们会跑来看看这是什么，并且找到你的。"

"那对他们很好嘛！"老祖母说，"不过在一百年里，人们看到它的机会也不会超过五次。大多数人认为这是一颗流星，他们眨一眨眼睛，就把它忘记了。而且，除非我自己愿意，否则没有人能找到这间房间。还有，我再告诉你一个秘密：要是这灯熄灭了，你就会发现自己躺在一间空阁楼里，在一堆旧稻草上，四周令人愉快的东西一样都看不见了。"

"那就让它永远别熄灭！"公主说。

"我也希望它不熄灭。我们该睡觉了，要不要我搂着你睡呢？"

小公主向老祖母依偎过去，老祖母用双臂搂住她，把她贴在自己的胸口。

"噢，亲爱的！这多么舒服啊！"公主说，"世界上没有比这更好的了，我愿意永远睡在这里。"

"只要你愿意，你就能做到。"老祖母说，"不过我必须给你一次考验，我希望这不是很难的考验。从今天算起，一个星期以后的晚上，你一定得上我这儿来。要是你那时不来，那我就不知道你什么时候能再找到我了。你很快就会非常需要我的。"

"我一定记得！"

"只要你相信我在这儿，相信我并不是一个梦。我会尽力帮你的，不过最终还得靠你自己。下星期五的晚上，你一定要到我这儿来，记住了。"

"我会尽力记住。"公主说。

"好，晚安！"老婆婆说完，又吻了吻公主贴在她胸口的前额。

不多一会儿，小公主进入了最甜美的梦乡，梦见夏天的海洋、皎洁的月光、苔藓碧绿的春天、沙沙作响的树林，还梦见漫山遍野的鲜花，散发出奇异的芳香。

当阳光照射到她的脸上时，小公主醒了过来，她发现正睡在自己的床上,她的手上没有手帕,也没有别的东西,只有一股芬芳的香味。手指上的肿消退了,就像从来没有受过伤一样。

阅读与理解

【名师点拨】

　　环境描写以及对老祖母卧室的直接描写突出了老祖母的神秘与卧室的神奇,而老祖母对艾琳深深的爱则体现在细腻的动作当中。

【回味思考】

　　1.老祖母的卧室有何神奇之处?

　　2.老祖母给了艾琳一次什么考验?

继续观察

名师导读

在妈妈的帮助与支持下，小柯迪继续冒着危险打探妖魔的计划。他探出了妖魔的秘密吗？

【直接描写】

这句话表现了柯迪的体贴与孝顺。

【对比】

通过对比从侧面突出了彼得太太的贤惠和他们一家人的幸福快乐。

【行为描写】

表现了柯迪的机智聪明、勇敢无畏。

柯迪在矿里守了好几夜。这个秘密，他和爸爸只告诉了妈妈——彼得逊太太，他们知道她守口如瓶，比任何人都靠得住。不过柯迪没有告诉妈妈，他夜里留在矿里工作，也是为了挣钱给她买一条新的红衬裙。

彼得逊太太是位很好的妈妈。说起来，做妈妈的都是很好的，可是彼得逊太太却特别好。她把贫苦的茅草屋弄得像天堂一样，让丈夫和儿子从黑暗的矿井里回来后有个舒适的家。说起来，公主睡在她曾祖母怀里，也不一定比彼得或柯迪睡在彼得逊太太怀里更加幸福。

是的，她的手大而粗糙，有许多皲裂，那是干活干出来的。因此，在一个天使的眼里，她的手是最美丽的。柯迪拼命干活，为的是给妈妈买条新衬裙。妈妈每天辛辛苦苦，为的是让儿子能过得舒服一些。要是妈妈在冬天得不到一条新衬裙，儿子心里一定会很难受的。

当柯迪独自留在矿里时，他总是先干上一两个小时，沿着矿脉向前挖掘。这条矿脉通向妖魔格伦普的老家。

然后，他再钻进洞去打探消息。为了能顺利地从原路返回，他想起了妈妈给他讲过的矮人故事，仿照故事中矮人的巧计，买了一大团细绳子。柯迪把绳子的一端拴在鹤嘴锄上,让鹤嘴锄留在洞口。然后他把绳团拿在手里,边走边放,就这样在黑暗中穿越妖魔领土上的天然通道。头两天没有探听到什么消息。

不过,在第三夜,也许是第四夜,他听到一阵叮叮当当的声响,就一路找去,发现妖魔中最能干的一伙工人正忙着干活。他们在干什么? 这不可能是为了淹没矿井,因为这个阴谋现在还没有实行。他冒着被妖魔发现的危险,偷偷上前张望,不过也没有探听到什么。他不得不一次次地往后退,每回后退都得把绳收起来。这是很麻烦的,他不是怕妖魔,而是担心妖魔发现他在监视他们,妨碍他再去探明真相。

有好几次,为了躲避妖魔,他慌忙退却,绳子乱成一团。但一觉醒来,妈妈已经把绳理好了,绕成一个大绳球,又可以用了!

"真不知道你是怎么理的,妈妈?"柯迪感激地说。

"我顺着绳子绕嘛,"她说,"就像你在矿里一样。"

关于这件事,她从来不多说一句。她的口齿不算伶俐,她的手却灵巧过人。妈妈的话越是不多,柯迪越是相信她。可是,妖魔矿工们到底在干什么,柯迪还是没有探听出来。

【设置悬念】

妖魔在干什么呢? 设置悬念,引出后文。

【动作描写】

从这儿可以看出彼得太太的善良与能干,在背后默默支持儿子柯迪。

阅读与理解

【名师点拨】

对比手法的运用和生活中的实例,表现了彼得太太的贤惠、善良、能干,而柯迪的锲而不舍,突出了他的勇敢、正直、无私。

【回味思考】

1.谁在背后支持、帮助柯迪的侦察工作?

2.柯迪打探出消息了吗?

妖魔的动物

名师导读

士兵们接二连三地在王宫里发现了一群奇特而怪异的动物，这是怎么回事呢？

【设置悬念】
这些人们没有见过的怪物是什么呢？引出下文。

王宫里发生的一件事情引起了轩然大波，原来，保护公主的卫士们发现了一些从来没有见过的怪物。事情的经过如下：

一天夜里，一位看到怪物的卫兵说，他看到一只怪物，后腿直立着，前腿搭在窗台上，借着月光在往窗子里偷看呢！这怪物不像狗，也不像狼，它的头像只球，有身体的两倍那么大，它的脸就像孩子们用萝卜雕的小丑。那怪物逃进了花园，他对准它射了一箭，那怪物怪叫一声就不见了。等他追赶上去，找遍了所有地方，既没有找到他的箭，也没有找到那怪物。当然，当他把这件事情讲给其他人听时，换来的只是他们无情的嘲笑。

【细节描写】
大家的嘲笑从侧面反映了这件事的离奇和怪物的不平常。

可是过了两夜，另外一个卫兵说他也看到了一只怪物，只是形状比第一个卫兵看到的更荒诞，更可怕。人们还是取笑他们两人。可是过了几夜，越来越多的卫兵亲眼看见了怪物。最后只剩下一个卫兵不相信了。那最后一个卫兵一连两天没看到什么，可是第三夜他突然从花园里奔出来，跑到另外两个卫兵面前，他头盔上的带子在下巴那儿绷断了，头发在头盔里竖起来，他激动得连话都说不出来。

【夸张】
夸张的运用突出了这位士兵见到怪物后的惊讶与恐惧。

卫兵们一起来到事发地，一眼就看见一群叫不出名

称的动物,个个都生得又丑又怪,而且个个都不相同。它们在月光下的草地上蹦跳着。看着它们那丑陋奇特的嘴脸,有的腿长脖子长,有的没腿也没脖子,真叫人不敢相信自己的眼睛。它们的叫声虽然不大,但也是怪得叫人不敢相信自己的耳朵,既不像是猪的哼哧声,也不像老鼠的尖叫声、狮子的吼声、狼的嗥叫声、狗的吠声、猴子的惊叫声、蛙的鸣声、蛇的嘶声、猫的喵呜声和呼噜声,这些声音真是奇特极了。

【直接描写】
各种声音的详细描写,反映了怪物之多与怪物之怪。

当他们呆若木鸡似的观察着这一切的时候,那群怪物已经发现了他们。它们以不可思议的速度朝一块大石头的方向飞快地逃去,很快消失得无影无踪。

这些动物其实正是小妖魔的家禽。几百年前,它们本来是人们饲养的动物,还有野生的狐狸、狼和小熊等。妖魔们把幼小的野兽捉来,一面驯养,一面改变它们的模样。随着时间的推移,它们改变了一点儿模样,它们的子孙又改变了一点儿模样。一代又一代,它们就变成了现在这样的怪物。

【解释说明】
这段话交代了这些奇形怪状的妖魔的家禽的形成过程。

由于长年生活在地下,地下特殊的生存环境改变了它们的基因。它们的外表变得奇形怪状,与妖魔倒很相似。那大概是由于它们受到妖魔的驯养,一直与妖魔朝夕相处的缘故。

正像柯迪所猜测的,妖魔矿工们分成小队,不分白天黑夜地挖地道,加紧实现那个他还没有弄清的阴谋。他们挖到小溪旁边,把地道挖在水流上面的岩层里,这样水就不会流进地道。有几只妖魔驯养的动物发现了这个地道口,就好奇地从地道口跑出来,沿着小溪的水流去探险。

这条小溪就从那天艾琳和她爸爸坐过的那只椅子旁边流出来。妖魔的动物找到这个出口好高兴,它们从地底下钻出来,在草地上打滚,欢蹦乱跳。大概在它们可怜的生活中,还从来没有看见过这样的好地方吧!它们也具有它们主人的天性,也喜欢去吓唬在山上碰到的

【巧妙暗示】
照应前文,暗示了妖魔们的计划与王宫有关。

人,当然它们没有能力去搞什么阴谋。

由于卫兵们都亲眼看到了这些奇特的动物,这些天来,这件事情被他们传遍了整个王宫。他们特别注意成群怪兽出没的那一片花园,这样可能就放松了对屋子的守卫。那些动物非常灵活,而那些卫兵呢,眼睛却不够明亮,他们没有发现溪水出口的地方经常有怪兽在探头探脑,它们比地面上人的视觉好得多,只要无人看守,它们就会招呼同伴们出来嬉戏。

【巧妙暗示】
　　卫兵们的疏忽,差点闯下大祸,为下文埋下伏笔。

阅读与理解

【名师点拨】

　　对士兵们动作、神态的描写,突出了他们的恐慌,从侧面反映了怪物之怪;而对于怪物样貌、声音的直接形容,更进一步表明了这些怪物的怪异。

【回味思考】

　　这些怪物从哪儿来?

再会老祖母

名师导读

为了信守约定,艾琳心神不宁地想着如何溜出去,此时却被一只妖怪追赶到了山上……

这几天以来,小公主艾琳一直有些心神不定,但是她尽量不让外人看出来她的心事,她还牢牢记得自己和老婆婆的约定。

不论是真是假,她都决定一定不失信,去会一会她的老祖母。

【心理描写】
表现了小公主信守诺言,展现了她的美好品质。

不管怎么说,她决定在星期五那天晚上爬上三层楼梯,穿过有许多房间的走廊,去找一找那位也许是真看见过的,也许是梦见过的祖母。

保姆是个十分敏锐的人,她很快就发觉小公主有些不对劲。她心事重重地坐在那里,闷声不响,甚至在做游戏时,也会神情恍惚,突然停下来。

【神态描写】
这段话表明了艾琳公主对老祖母的话的重视。

无论露蒂怎样盘问,艾琳总是不肯吐露自己的秘密,她只好作罢了。

那个盼望已久的星期五终于来到了。艾琳怕露蒂会来看住自己,所以尽可能地装得很平静。下午,她来到摆放布娃娃的小屋子,把布娃娃搬来搬去,替它们布置房间,忙了一个钟头。然后她叹了一口气,把身子往椅背上一靠。有一个布娃娃不会坐,另一个布娃娃不会立,真是叫人讨厌,还有一个布娃娃连躺也躺不好,太糟了。

【细节描写】
艾琳的烦恼,正是急于见到老祖母和如何想办法逃出去的内心体现。

天黑了下来，一想到今天晚上的约会，小公主的心激动的怦怦地跳。可是她还是尽力克制着自己，以免让别人看出来。

"我看你想喝茶了，公主，"保姆说，"我去拿来。这房间里太阴暗了，我去把窗户打开一点儿。晚上很暖和，你不会着凉的。"

"好的，露蒂。"艾琳说，心里真希望露蒂等天再黑一些才去拿茶，那时对她的冒险就更有利了。

露蒂回来得迟了一些。艾琳正在想心事，无意中抬起头，发现天差不多完全黑了。忽然，她看见窗口有一双绿莹莹的眼睛，正盯着她瞧。那东西跳进房里来，它像一只猫，腿却长得像马腿。她吓得从椅子上跳起来，逃出了房间。

当她逃到那旧楼梯脚下时，她本应当上去，可是她却以为那怪物会跟在她后面爬上楼梯，在那黑暗的走廊里追赶她，而那走廊很可能并不通向顶楼！

于是她急忙朝大厅里跑去，正好前门敞开着，她就冲进了院子。没有人看到她。她以为那怪物在追她，就一直朝前跑，没有时间害怕，也不知道该逃到哪里去，唯一的念头就是躲避那只马腿猫身的怪物。她不敢朝身后瞧，一直冲出大门，往山上奔去。这样一跑，就会离能帮助她的人越来越远，这样做是十分不理智的，这就是人们所说的忙中出错吧。很显然，我们的小公主处境不妙。

不一会儿，公主就跑得上气不接下气，她以为那可怕的东西还跟在她后面，就继续往山上跑。其实，要是那个长腿的东西还在后面，不早就追上她了吗？最后她实在跑不动了，倒在路边，吓得半死，连喊叫的力气都没有了。

见没有怪物追来，小公主长吁了一口气，她抬起身子，向四周看看。天已经黑得看不清周围的事物，天空中连一颗星星都没有。她搞不清楚房子在哪个方向，心

【内心描写】
表现了小公主对晚上的约会的期待。

【动作描写】
这句话表明艾琳离安全的地方越来越远，正向妖魔的地盘奔去，艾琳会遇到危险吗？

【动作、神态描写】
这句话表明公主被怪物吓得逃跑，已经筋疲力尽了。

里还以为,那只怪兽正躲在她回家的路上。好在她没有喊叫起来,这几个星期以来,虽然妖魔很少出来,不过也可能有一两个游荡的妖魔会听到她的喊声。想到这儿,她又害怕得发抖。

这时,她完全忘了自己答应过要去看望祖母这件事。

雨点突然滴落在她的脸上,她抬起头来看看天空,顿时惊奇得忘记了害怕。起初她还以为是月亮出来了,月亮大概是来看看这个小女孩,她为什么不戴帽子,也没有穿披风,孤零零地坐在黑魆魆的山上。不过她马上

【情节设置】

小公主完全忘了去看望祖母的事,情节设置巧妙,为后文埋下伏笔。

就发现自己搞错了，因为地上没有月光，也没有阴影。这是挂在空中的一只巨大的银灯。看着那可爱的银灯，她的勇气就恢复了。要是她还在家里，就不会再害怕了，连那只长腿猫她也不怕了！

银灯给了她希望，她想起来了，那一定是她老祖母的灯，就是这盏灯指引鸽子穿越黑夜回到家里！她跳起来了，只要看着这盏灯，就一定能找到回家的路。

想到这里，小公主马上胆大起来，她忘记了妖魔的出现，忘记了一切让她害怕的东西，她站起来，盯着那银灯，跟着它走。天仍然那样黑，不过现在她不会走错路了，最奇怪的是，灯光射在她的眼睛里，非但没有使她眼花，反而使她能够看清四周黑暗中的东西。只要看一看银灯，垂下眼睛，就能看清黑暗中一两尺远的地方，这样她在高低不平的路上奔跑，也没有跌倒。不知走了多久，那银灯一直帮着她照路。小公主的内心充满了希望。

【动作描写】
老祖母以及老祖母的银灯有着神奇的力量。

就在这时，那银灯突然不见了，就像它出现时那么突然。于是她又惊慌起来，那种对怪物的恐惧，现在又抓住了她的心。可是就在这时，她看见了窗口的灯光，知道自己已经站在家门口了。天太黑，不好奔跑，她尽力加快步子，很快就走到了门口。大门还敞开着，她穿过大厅，甚至连瞧都没瞧她的卧室，就跑上了楼梯，爬上第一层，又爬上第二层；接着向右转，走过长长的静静的走廊，立刻找到了通向顶楼的楼梯。

【动作描写】
这段话表现了艾琳赴约的急切，反映了她信守承诺。

当保姆发现小公主不见了，还以为她一定再和她玩儿捉迷藏呢。于是她坐下来安静地等着她，可是左等右等到也没有看到小公主的身影，别人也都说没见到她。这一下，她有点儿害怕起来，开始寻找公主。公主走进大门时，整幢房子的人都在寻找她。公主登上顶楼楼梯之后，仆人们已经开始搜查那些空的房间。他们找遍了所有别的地方，也没有找到公主，这才想到这些房间。而此时此刻，我们的艾琳小公主正在敲老婆

【侧面描写】
从侧面反映了老祖母的神秘。

婆的房门呢!

阅读与理解

【名师点拨】

　　神态描写表现了公主对于赴约的急切与重视,丰富的想象描绘了艾琳遇到了惊险的场景。

【回味思考】

　　1.艾琳为何心神不宁?

　　2.是什么让艾琳找到了从山上返回的路?

老祖母的纺线

祖母为艾琳纺织的礼物成功了,那么这个神秘的礼物是什么呢?这个礼物有什么作用呢?

"进来,艾琳!"祖母那熟悉的声音传了过来。

艾琳轻轻地推开门,却发现房间里黑漆漆的,也没有纺线的嗡嗡声。她又有点儿害怕起来,心想房间虽然找到了,那老祖母却仍可能是一个梦。想到这儿,小公主有些紧张了。

在这黑漆漆的房间里,起先她以为自己根本就没有办法找到她的老祖母。可是这时她又回想起来,老祖母说她在有月光的夜里才纺纱,现在没有月光,她是不用纺东西的。难怪没有那种好听的蜜蜂叫似的嗡嗡声。老祖母也许在黑暗中的什么地方吧!没等她再想下去,老人的声音再次响起:

"进来,艾琳。"

从声音发出的方向判断,老祖母并不在这间屋子里,大概会在卧室里吧。她摸索着走到另一扇门前,她刚抓住门把手,又听到了老祖母的声音:

"我进卧室以前,总是先把工作室的门关好。把那一扇门关好吧,艾琳。"

她的声音虽然隔着一扇门,可是听起来却很清楚。

虽然她觉得十分奇怪,但是她还是去把那扇门关好了,然后打开卧室门走了进去。从黑暗中踏进这房间,

【心理描写】
老祖母的神奇与神秘让艾琳一直不敢确认她是否真实存在。

【语言描写】
老祖母对艾琳的一切行为了如指掌,暗示了从山上回来是老祖母在帮忙。

她觉得就好像是走进了可爱的天堂！柔和的灯光使她觉得仿佛走进了一颗珍珠的中心。天蓝色的墙壁，银色的星星，使她觉得仿佛这就是真正的夜空，和刚才她在野外看到的天空一样。

"艾琳，我知道你现在又冷又湿，我给你生了一盆火。"祖母说。

小公主睁大眼睛一看，果然发现墙边有一盆火，火苗就像一大把红得十分可爱的玫瑰花。当她刚刚看到那火苗的时候还真错把它当做一束很大的玫瑰花了！火焰在银缕小天使的脑袋和翅膀之间熊熊燃烧。她走近了，闻出那股室内弥漫的玫瑰花香，正是从玫瑰一样的火苗里发出来的。祖母穿着一件好看的浅蓝色天鹅绒袍子，披在袍子上的头发不再是白的，而是美丽的金黄色，蓬蓬松松的，有的闪闪发光。

今天的祖母和她上次见到的祖母一点也不一样，只见她的头发就像倾泻而下的瀑布，没有披到地上就消失在一片金色的云雾之中。一只闪闪发光的银色头箍，镶嵌着珍珠和宝石，箍着那美丽的金发。她的衣服上没有装饰品，手上没有戴戒指，脖子上也没有戴项链。可是她的拖鞋却闪烁着银河的光芒，因为鞋上缀满了细小的珍珠和宝石。她的脸就像一位二三十岁贵妇人的脸。

小公主看在眼里，喜在心中，可是她觉得现在的自己一点也不像一位合格的公主，浑身上下到处都脏兮兮的，很不自在。祖母坐在火炉旁的一张矮椅上，张开双臂迎接公主，公主却不安地笑笑，又往后退缩。

"怎么啦？"祖母问，"你并没有做错什么事——我从你脸上看得出来，可是你好像很痛苦。发生什么事了，宝贝？"

她再次张开双臂要小公主过去。

"亲爱的祖母，"艾琳说，"今天我被那只长腿猫给吓坏了，本来我应当马上来您这儿的，不该跑到山上去，让自己受了惊吓。可是当时我真得吓坏了，不知道应该怎么办，当我清醒时才发现自己已经迷路了！我真不应该再做这样的错事了。"

"好了，我的好孩子，我知道你不是故意的，你也不会再这样做了。只有那些故意做错事的人，才可能一错再错。我说得对吧？"

她的手臂仍然张开。

"可是，祖母，你戴着皇冠，是这么美丽和高贵！我却满身泥浆雨水，那么脏！我会弄脏你这么美丽的蓝衣裳的。"

祖母大声地笑了起来，她一下子站起来，动作比艾琳还要轻快，一把把孩子搂在怀里，一遍又一遍吻着她挂着泪痕的脸，然后坐下来把公主抱在膝上。

【动作描写】
祖母的大笑和动作表明她对艾琳的脏毫不在意，反映了她对艾琳的爱。

"噢，祖母，我会把你衣服弄脏的！"艾琳不安地说。

"宝贝，你以为我爱惜衣服会胜过爱我的小孙女吗？而且，你瞧。"

祖母一边说着，一边把她放下，艾琳发现祖母那件美丽的袍子已经沾满了她身上的污泥。可是，祖母俯下身去，从火中取出一支燃烧的玫瑰，捏着花枝，在衣服表面轻轻地擦。艾琳再看时，衣服上连一丁点儿污泥也没有了。

【动作描写】
再次提到玫瑰，突出了祖母的神奇。

"你瞧！"祖母说，"现在不会再拒绝让我好好抱抱了吧？"

可是艾琳眼睛盯着祖母手里那朵发出火焰的玫瑰，还是有些退缩。

"难道你不喜欢这些玫瑰吗？"祖母说，她想顺手把玫瑰丢进炉子里去。

"不是的！请别放回去！"艾琳叫起来，"能请你把这朵花放在我的衣服上、手上和脸上吧？还有我的脚和膝盖也需要它！"

【语言描写】
艾琳也想用玫瑰把身上的污泥擦干净。

"我不会让你那样做的。"祖母回答说，微笑中有一丝哀伤。

她又把玫瑰花丢进炉子，接着说："对你就太烫了。

它会把你的衣服烧起来的。而且，今晚我也不打算把你弄干净。我希望保姆和其他人看到你这副模样，你要告诉他们你是害怕那只长腿猫而逃跑的。要是给你洗干净了，那他们就不会相信你了。看到那只大浴盆了吗？"

公主回过头来，看见一只椭圆形的大银盆，在神奇的银灯照耀下闪闪发光。

"你往里面看看！"祖母说。

小公主走上前去，从她的面部表情可以看得出来，她被眼前看到的东西惊呆了。

"你看到什么了？"她祖母问。

"天空、月亮和星星，"她回答说，"这只盆看起来好像根本就没有底。"

祖母满足地微笑着，也沉默一会儿，然后说道：

"什么时候想洗澡时，可以来我这儿。我知道你每天早晨洗澡，不过，有时候你晚上也想洗一次。"

"谢谢你，祖母。我会的，我一定来。"艾琳回答说。她又沉思了一会儿，说道："祖母，我刚才看到你那盏美丽的灯，那盏又圆又大的银灯，孤零零地高高挂在空中，我看到的是你的灯，是吧？"

"是的，孩子，那是我的灯。"

"那么，这是怎么回事呢？银灯的四周看不见一扇窗户。"

"我只要高兴，就能使灯光穿过墙壁——它那强烈的光线能在你眼前把墙壁化掉，使你能看到它本身。不过，我告诉过你，并不是人人都能看到它的！"

"可是我怎么能看到它呢？我实在想不清楚这是为什么。"

"这是你与生俱来的能力，我希望有一天人人都有这样的能力。"

"可是它们为什么有这么大的能力可以穿透墙壁呢？"

"有时间我会和你好好说说的，可是现在还不行。不过，"祖母站起来说，"你坐在我的椅子上，我去把为

你准备的礼物拿来。我说过我纺的线是给你的,现在纺完了,我去拿给你。我把它放在一只孵蛋的鸽子身下保温。"

说完话,祖母转身出去了,把小公主一个人留在屋里。艾琳一会儿看看玫瑰火焰,一会儿看看星星闪烁的墙壁,一会儿看看银色的圆灯。虽然只有她一个人在,但是她一点儿也不觉得这个地方有什么陌生,好像她在很久以前就来过。她不知道为什么会这样,不过,她十分喜欢这样的感觉,觉得自己像是一个大人一样。

公主目不转睛地对那盏可爱的灯注视了几分钟,不一会儿,她就看到了别人无法看到的奇迹,就在她要收回眼神时,突然发现墙壁消失了,她能看到外面阴云密布的黑夜。虽然她能听见呼呼的风声,风却没有吹到她身上。

没有过多久,乌云飘走了。又像墙壁一样消失了,使她能一直望见深蓝色夜空中闪烁的星星。不过,这一切很快又变化了,云团聚拢来,遮住了星星,墙壁又遮住了云团。祖母笑眯眯地站在她面前,手里拿着一只闪光的小球,大小和一只鸽蛋差不多。

"你瞧,艾琳。这就是我为你做的!"她说着,把球递给公主。

公主把它拿在手里,翻来覆去地看着。它略微有些光亮,颜色有点儿白里带灰,有点儿像玻璃丝。

"你纺的线都在这里了吗,祖母?"公主问。

"是这样的,我纺的线统统都在这里了。这里的线要比你想象的多得多呢!"

"这东西太有意思了!请告诉我,它对我有什么用呢?"

"让我慢慢说给你听。"祖母转身走到柜子面前。

她拿来一只小小的戒指,然后从艾琳手里拿过丝线球,把这两样东西摆弄了一阵,艾琳不知道她在做什么。

"把你的手给我。"她说。

艾琳伸出她的右手。

【动作描写】
这段话证明了公主拥有与生俱来的特殊能力。

【细节描写】
"翻来覆去地看着"表现了公主的疑惑,她并不知道祖母礼物的作用。

"对，我就要这只手。"祖母一面说着，一面把戒指戴在公主的食指上。

"好漂亮的戒指！"艾琳说，"这是什么宝石？"

"火蛋白石。"

"我可以留着它吗？"

"可以一直留着。"

"哦，谢谢你，祖母！这比我看到过的任何宝石都美丽，除了你头上的那些宝石。请问，这是你的皇冠吗？"

"是的，这是我的皇冠。这些宝石与你戒指上的宝石是相同品种的，只是你戒指上的宝石是红色的。你看，我的皇冠上的宝石却有各种颜色。"

【语言描写】
公主的宝石与祖母皇冠上的宝石相同，表明了她对公主的重视。

"是的，祖母。我会好好当心它的！不过……"她又加了一句，显出有些迟疑不决的样子。

"不过什么？"祖母问道。

"要是露蒂问我这戒指是从哪儿来的，我该怎么说呢？"

"你可以反问她这是从哪儿来的。"祖母笑着回答道。

"这样做好吗？"看样子，我们的小公主还有点儿难为情了。要知道她是公主，从小就觉得对别人撒谎是不可被人原谅的。可是她又想不出更好的办法来。

祖母看了看她，完全读懂了她的心思。她慈爱地抚摸着她的小脸，似乎是在替她决定。

"你完全能够这样做的。"

"既然您这样说了，我也只能这样做了。可是，您知道，我不能假装我不知道啊！"

【疑问】
公主的疑问和难为情反映了她的诚实和对人的真诚。

"当然不！可是这最多也只是一个善意的谎言。而且它会对你十分有用，现在我还不能把一切都告诉你，到时候你会明白的。"

讲完话，祖母转过身子，把小丝球扔进玫瑰火里。

"哦，祖母！"艾琳惊叫起来，"这是你纺给我的呀。"

"是呀，孩子。你已经得到它了。""不，它被火烧掉了！"

【语言描写】
艾琳的话表现了她的诚实与率真。

祖母把手伸进火里，取出那只小球，小球依然像刚才那样闪闪发光。她把它递给公主，艾琳伸手去接，祖母却没有把小球递给她而是转身走到桌子旁，打开抽屉，把小球放了进去。

【神态描写】
　　"可怜巴巴"反映了艾琳对于祖母行为的疑惑和忐忑不安。

"祖母，我做了什么使你生气的事吗？"艾琳可怜巴巴地说。

"当然没有，现在你已经拥有这个小球了。"

"哦！可是你没有把它拿给我啊！你是要替我保存吗？"

"你已经拿着啦！我把线头系在你的戒指上了。"

艾琳看看手上的戒指。

"可是我什么都没有看到，亲爱的祖母。"小公主似乎有点儿委屈。

"你摸一摸吧，将手指离开戒指一点儿，朝柜子的方向摸一摸看。"祖母说。

"真的，它们真的在！"公主惊叫着，"可是我看不见它！"她又说，还仔细瞧了瞧她伸出摸丝线的手。

"这根线很细，你看不见，你只能摸到它。现在你能想象出我纺的线有多长吧，尽管它看起来只是一个小小的球。"

"它放在你的柜子里，对我又有什么用呢？"

【解释说明】
　　这段话交代了丝球的作用，表明祖母不想让艾琳遇到危险。

"听好了，我现在就把它的用处讲给你听。它不放在我的柜子里，对你就没有用了，它也就不能成为你的了。听着，如果你发现有危险，比方说，就像今天晚上那样，你就得脱下戒指，把它放在你床上的枕头下面。这样，线就会牵着你的食指，线把你引到哪里，你就跟它走到哪里。"

"哦，多有趣啊！它会把我带到你这儿来的，祖母，我知道的！"

"是的。不过，记住，它也可能领你绕上一个很大的弯，你千万不要怀疑这根线。你要记住一点，当你抓住这根线的时候，我就在这儿抓着它的。"

"你真是个神奇的老太太,你让我经历的这一切实在太神奇了!"艾琳兴奋地说。她突然她跳起来,像醒过来似的叫道:"哦,祖母!我一直坐在你的椅子上,却让你站着!请原谅我。"

祖母轻轻地拍了拍她的头,安慰她说:

"没有关系,艾琳。没有什么比看到有人坐在我椅子上更使我高兴的了。你坐在这张椅子上,我真的太高兴了!"

"你对我真是太好了!"公主说,又坐了下来。

"你的存在也让我十分开心。"祖母说。

"不过,"艾琳还是有点儿迷惑不解,她说,"要是这线的一头系在我的戒指上,另一头留在你的柜子里,它会不会挡住别人的路,被人弄断呢?"

"你会看到线能自己接好的。我想你该回去了。"

"祖母,我今晚不能留在这儿跟你一起睡吗?"

"不,今晚不行。要是今晚我想留你,我就给你洗澡了。要知道屋子里的每一个人都在为你操心,让他们担心整整一个晚上,那就太不应该了。你必须下楼去。"

"我很高兴,祖母,你没有说'回家去',因为这里就是我的家。我能不能称这儿是我的家?"

"能,孩子。我相信你会永远把这里当自己家的。现在来吧,我要送你回去,而不让别人看到你。"

"可是,我还有最后一个问题要问,"艾琳说,"因为你戴着皇冠,所以才看上去这样年轻吗?"

"皇冠和我的岁数一点儿关系都没有,"祖母回答说,"今天晚上我觉得自己很年轻,所以才戴上我的皇冠。我想,你一定喜欢看到你的老祖母穿戴得漂漂亮亮的!"

"你总是说自己老了?你一点儿也不老,祖母。"

"我实在是非常老了。人们总是那么傻,我不是说你,你还很小,不懂事。可是人们总以为老年就意味着弯腰驼背,枯瘦衰弱,离不开手杖和眼镜,离不开风湿病

【动作、语言描写】
动作描写和语言描写反映了艾琳的有礼貌和良好的修养。

【语言描写】
公主的话从侧面体现了她对老祖母的喜爱与依赖。

【语言描写】
对年老的阐释让我们看到了老祖母的乐观、睿智。

和健忘症！这多么傻！老年跟这一切并没有关系。真正的老年意味着力量、美丽、欢乐、勇气，有一副明亮的眼睛，强壮而没有病痛的四肢。我比你想象的还要老，可是……"

这时，小艾琳跳起来搂住祖母的脖子，说道，"我不会再那样傻了，我向你保证。要是我再说这样的傻话，我一定会感到非常遗憾——我一定会的。我希望像你一样老，祖母，我想你是什么都不怕的。"

"至少不会长久地害怕，我的孩子。也许到我两千岁的时候，我真的会什么都不怕了。不过老实说，有时我很担心我的孩子们，特别是担心你，艾琳！"

"哦，我很抱歉，祖母！你是指今天晚上的事吧！"

"有一部分是的，不过更多的是担心你把我想象成一个梦，而不是真正的老祖母。你别以为我是在责怪

【语言描写】
艾琳的话表现了她的聪明、乖巧、可爱。

【语言描写】
语言描写表现了老祖母的担忧。

你,我想你是不由自主地这样想的。"

"我不知道,祖母,"公主说着哭了起来,"我往往不能按照自己喜欢的去做,也没有常常去努力尝试。不管怎么说,对这一点儿我是很难过的!"

祖母弯下身子,把她抱起来,坐在椅子上,紧紧地搂在怀里。不一会儿,公主就抽噎着睡着了。醒来却已经坐在自己卧室桌子旁边的一张高椅子上,而刚才发生的一切多么像一场美丽的梦呀……

【行为描写】
表现了老祖母对艾琳的疼爱与关心。

【名师点拨】

真实与幻想融为一体,给故事提供了发展的可能,增强了趣味性;通过直接描述,解释了祖母纺线的作用。

【回味思考】

祖母为何要收回小球?

漂亮戒指

艾琳用老祖母教的方法来应对保姆的询问,得到了大家的充分信任。保姆怀疑戒指的来历吗?

【动作描写】
"扑"和"搂"突出了保姆的急切与担忧。

就在小公主带着迷茫的眼神观看着四周的一切,思索着今晚奇遇的时候,一个人推门走了进来。一看到小公主,她马上扑过来,搂着她就哭了起来,一边哭一边说着话。

"我的小可爱!你刚才到哪儿去了?发生什么事了?我们连眼泪都要哭干了,把屋子从上到下都找遍啦!"

当然,聪明的小公主不会把真实的情况都告诉她,因为她永远都不会相信的。这时,她想起了老祖母的那些话,可不是吧,大人有时就是那么傻。

"露蒂!我差点儿被吓坏了!"她回答说,接着就把长腿猫怎样跳进屋来,她怎样逃上山,又怎样走回家的情况一五一十告诉了保姆。不过她没有提到她的祖母和神奇的灯。

【语言描写】
保姆的"喊"和语气的变化表明了她的生气,而生气正是出于对公主的担忧。

"我们在屋里上上下下找你,找了一个半钟头还不止呢!"保姆喊着说,"不过那没什么,现在我们找到你了!只是,公主,我不能不说,"她说,语气有些变化,"你应该做的是叫露蒂来帮你,而不应该跑出房子,跑到荒山上野地里去。我要说,这样做是很蠢的。"

"露蒂,你说得很对,我也不会生气。"艾琳平静地说,"也许你碰上一只很大的猫,长着长长的腿,在后面追你,你也会一时不知道该怎么办的!"

"不管怎么说,我也不会逃上山去!"露蒂反驳说。

"要是你没有时间考虑,那就说不定呢!那天夜里在山上,那几只动物追你,你就吓得连回家的路也找不着了。"

露蒂没再说话。她本来还想说长腿猫一定是公主迷迷糊糊的幻觉,可是想到那个可怕的夜晚,以及事后国王对她说的那一番话,她就把她一点儿也不相信的话咽了回去。她想长腿猫大概就是妖魔,要不是上一次亲眼看到了妖魔,她可能会说小公主又编故事来骗她。

露蒂转身出去为公主端来了茶点,她还没有回来。全屋子的人,在女管家的带领下,都涌进公主的儿童室来看他们的宝贝。

大家高兴得不得了。卫兵们也都来了,他们非常相信公主讲的长腿猫的故事。

卫兵们前几天在王宫的公园里分明看到了那群奇怪的动物中正有这样一只长腿猫,他们内心都在责备自己没有好好看守。

他们的队长下命令说,从今以后,大门和楼下所有的窗户在太阳下山以后一律锁上,不得打开。卫兵们也都加强警戒。

第二天早晨公主醒来时,保姆正俯身看着她。

"公主,你的戒指发出多么亮的红光呀!就像一朵燃烧的玫瑰!"她说。

"是吗,露蒂?"艾琳回答说,"你能告诉我这戒指是谁给我的吗,露蒂?我知道我已经戴了好长时间了,可是我记不得是谁给我的了。"

"公主,我猜那一定是你的妈妈给你的,也许可能是国王给你的,反正我也记不清楚这件事情了。不过没有

【语言描写】
露蒂不相信小公主的话。

【动作描写】
一个"涌"字体现了大家对公主平安回家的开心和想见到她的急切。

【语言描写】
露蒂的回答反映了老祖母的先见之明。

关系,等下次国王来了,你问问他不就知道了吗？"

阅读与理解

【名师点拨】

　　动作描写和语言描写表现了大家对公主的关心与爱护。而两人的对话,反映了老祖母的聪明与先见之明。

【回味思考】

　　1.大家相信公主的话吗？

　　2.公主的戒指从哪儿来的？

春日之美

名师导读

　　春暖花开,国王又来看公主了。公主可以在美丽的山上玩,羊群在山坡上吃草,到处一片欣欣向荣的景象。

　　寒冷的冬天就这样过去了,王宫中再没有发生奇怪的事情。春暖花开的季节总是让人们心情愉悦,国王在开花的季节来看望了一次小公主。他是个英明的君主,不喜欢整日待在王宫中享受富贵。而是喜欢去访问那些乡村农舍,喜欢到处走动,好让他的人民都认识他。他每到一个地方,总是注意物色才能出众、品德优秀的人,任命他们为官吏。当他发现有些官吏滥用职权时,就会毫不犹豫地把他们撤职查办。

【叙述】
　　表现了国王的英明与善于治国。

　　大家可能都明白一个道理,越是英明的国王就越是忙碌,我们的国王也不例外。因此,他整个冬天也没有时间来看望自己心爱的小女儿。你也许会想,那么为什么他不把公主带在身边呢?这里有好几个原因。我猜想,曾祖母暗中阻拦是一个主要的原因。艾琳又一次听到了号角声,又一次奔到前门去迎接爸爸。国王骑着高头大马来看她了。

【直接说明】
　　通过对国王忙碌程度的描述,突出他的英明。

　　公主和爸爸单独在一起待了一会儿,她决定问问爸爸。

　　"请告诉我,父王,"她说,"这只美丽的戒指是谁送给我的?我记不清了。"

　　国王瞧了瞧戒指。一种奇妙的微笑像阳光一样布

满了他的脸,这是回答的微笑。与此同时,艾琳的脸上也布满了像月光一样询问的微笑。

"它曾是你母后的戒指。"他说。

"可是现在她为什么不再保留它了呢?"艾琳问。

"那是因为她现在不需要它了。"国王回答道,神情有点儿严肃起来。

"为什么她现在不需要它了?"

"因为,她已经到做这些戒指的地方去了。"

"我好想现在就见一见她,可以吗,爸爸?"公主小心地问。

"一时你还见不到她。"国王说着话,转过身去擦脸上的泪水。

艾琳记不起她的妈妈,也不知道爸爸为什么会神情严肃,眼睛里含着眼泪。她伸出手臂抱住爸爸的脖子,吻吻他,不再追问下去了。

当国王听到有人将看到怪物的事情告诉他的时候,国王十分担忧。后来看到她手上的戒指,这才安下心来。在他动身以前大约一小时,艾琳看到他走上那道旧楼梯。一直到他们准备动身时,他才走下来。公主想他准是上去看老祖母了。国王离开时,又留下了六名卫兵,这样每一班就可以有六名卫兵巡逻了。

由于现在是温暖的春天,所以小公主获准可以去山上玩儿。温暖的山谷里有许多报春花,艾琳越看越喜欢,从来不会厌倦。每次她看见一枝花在地面上张开美丽的花瓣,她都会高兴得直拍手。她不像有些孩子,会伸手去采它,只是轻轻地摸摸它,好像它是一个刚生下来的婴儿,和它认识以后,她会高高兴兴地走开。她把花枝当做鸟窝,把每一朵初放的花朵当做一只新生的鸟儿。她会去访问所有她熟悉的花,把它们一一记在心里。她会跪在它们前面,说:"早上好!你们今天早上都好香啊!再见!"接着又跑到另一棵花前,说同样的话。

山野中开满了各式各样的花朵,在这些花中,小公

【比喻】
　　把"微笑"比作"阳光"和"月光",表达了国王和公主内心的愉悦和对彼此的心领神会。

【心理描写】
　　国王的安心表明他知道戒指的作用,也知道老祖母会保护艾琳。

【比喻】
　　花朵在公主的眼中像婴儿和新生的鸟儿,表明了公主对这些花朵的珍爱。

主最喜欢报春花。可能是因为它们准时会把春天到来的消息及时告诉人们的原因吧。

【叙述】
　　转折过渡自然，引出下文。

　　矿工们大多有养羊的习惯，这些羊在春天的时候往往会在山坡上找草吃。在那些羊当中，其中有几只就属于柯迪妈妈的，不过也有一些没有主人的野羊。妖魔们把这些羊当做他们的，他们的生活有时就靠这些野羊。他们设下陷阱和暗坑捕捉它们。要是捉住了羊，就不客气地拿回去吃。但是他们没有想到用别的手段去偷羊，因为他们害怕山里人的牧羊狗，那些狗一看见他们，就会扑上去咬他们的脚。

【讲述】
　　脚是妖魔的致命弱点。

　　妖魔还有自己的羊群——那是非常古怪的动物。在夜里，妖魔把它们赶出来吃草。妖魔们也有像地面上的人一样的专门给人看守羊群的动物，就像是我们的牧羊犬一样。只不过它们的样子同样古怪，就是亲眼见到它们，恐怕你也说不出来它们是怎样的动物。

阅读与理解

【名师点拨】

　　景物描写和比喻的运用，突出了春日之美，以及小公主对春的喜爱，直接描述表明了国王的英明。

【回味思考】

　　1.国王为什么整个冬天没来看公主？

　　2.妖魔为什么不敢偷有主人的羊？

难逃厄运

名师导读

　　柯迪在打探消息时迷了路,不小心进入魔王宫殿面对数以千计的妖魔,柯迪是怎么做的呢？他能脱离险境吗？

　　对于妖魔的动向,小柯迪十分关注,他决定弄清他们的计划详情。每隔一个夜晚,他就要跟着妖魔,躲在它们附近的岩石后面,暗中监视他们挖掘地道的情况。可是到现在为止,还有发现什么非常有价值的信息。像以前一样,他把绳子的一端系在鹤嘴锄上,把鹤嘴锄留在进入妖魔地界的洞口,他则握着绳子的另一端前进。妖魔们每天晚上等矿工们离开了就大吵大闹起来,根本没有想到有人在暗中监视着他们。

　　这一天,像平常一样,柯迪收了工,还是留下来打探消息。没过多久,他就困得直打瞌睡,打算回家去睡觉,就开始绕起线球来。往回走了一段,他开始有点儿迷路了。走过一间又一间妖魔的屋子,也就是洞穴,他发现,他经过的洞穴要比来的时候多得多！难道是他的绳子领错了路？他一路走一路绕线团,可是绳子竟把他领到了妖魔居住最密集的地区！他不免有点儿担心起来,虽说他并不怕这些妖魔,可是他怕自己找不到出去的路。他该怎么办呢？周围是黑暗,永远是黑暗,要是他的绳子出了差错,那他就很难找到洞口了。即使他离洞口只有一尺远,他也不知道啊！

　　于是他又去找绳子的末端,至少想查出它是怎么搞

【直接交代】
　　每隔一晚就暗中监视,可以看出小柯迪抵抗妖魔的决心。

【环境描写】
　　这段话表明了柯迪的麻烦和情况的危险。

的。根据绳团的大小，他知道绳子快要绕完了。这时他感觉到有什么东西在扫他手上的绳子。这是什么？他转过一个弯，听到了一些奇怪的叫声，越往前走，声音也就越大。他听得清是咆哮声和尖叫声。等到他转过第二个弯，他发现自己已闯到了一群怪物中间。一不小心，他一个跟斗跌倒在这群在地上打滚的怪物身上，他知道这些都是妖魔的动物。还没等他爬起来，脸上、手上、脚上已经给抓破了好几处。不过他爬起来的时候，手刚好抓到了他的鹤嘴锄，于是，他挥动着手中的武器向这些家伙们发起了进攻。这些家伙发出了声声惨叫。从这些家伙的叫声可以猜出，它的武器击中了它们，而且让它们吃了不少苦头。这时的柯迪觉得十分痛快，因为它知道敌人都跑远了。

　　他掂掂手中的鹤嘴锄，无比珍惜地轻轻抚摸着它，仿佛它是千金不换的宝物一样。

　　他从鹤嘴锄上解下绳头，绕好绳团，放进口袋。他想，很明显，妖魔的动物发现了他的鹤嘴锄，把它叼走了，因而把他领到了这片陌生的地方。

　　就在这时，突然他发现远处有一线亮光射来。他没有犹豫，就朝着亮光处走去。转了一个弯，他发现一小块闪闪发光的东西，原来是一种云母，也叫白云母玻璃。那忽闪忽闪的火光好像是从云母后面射过来的。他想找到冒火光的地方，找来找去找到一个小洞穴，洞穴的壁上有一个透出光亮的小洞口。他爬到那洞口旁，看到一番奇怪的景象。

　　在一片火光中，坐着几个打扮十分怪异的妖魔，它们围绕着火堆坐着，缭绕的烟雾在黑暗中飘散。山洞四壁都是闪烁发光的矿石，就像在妖魔大殿里看到的一样。这里一共有四个妖魔，他们的头上、臂上和腰上都装饰着宝石，在火光中反射出华丽的光彩。从装束上可以猜得出它们不是一般的身份。柯迪很快就认出了那个魔王，这才知道原来自己闯进了妖魔的王宫。这可是打听消息的好机会啊！他轻手轻脚地爬进洞口，神不知鬼不觉地朝他们又爬近了一段路，这才坐下来偷听。四个妖魔，一个是魔王，一个显然是妖后，那个戴着王冠的可能是王子，旁边还有一个大臣，正坐在一起聊天。那个穿鞋子的王后把脚伸在火堆旁边取暖。

"这可会是一场无与伦比的好戏啊！"那个戴王冠的王子正在说话。

"我真想不清楚你为什么会有这样的想法和认识！"他的后母问到，边说边舒服地往后靠了靠。

"我的妻子，你可不要忘记，他的血管里流淌着我的血液！"魔王插嘴说，好像在为王子辩解，"他和他妈妈有相同的血液，他妈妈……"

"别对我提他的妈妈！你在助长他荒唐的想法。他妈妈是他妈妈，他是他！"

"你说这些话时可从来没有好心情，亲爱的！"魔王说。

"我没有，"妖后说，"你也没有。要是你认为我会同意你那粗俗的想法，那你是想错了。我穿鞋子不是没有理由的。"

"不管怎么说，你必须承认，"魔王哼哼着说，"至少这一点不是哈尔立浦的怪念头，它有关我们国家的政策问题。你很清楚，他所提的要求全是想牺牲自己为大家谋利。不是吗，哈尔立浦？"

"说得对，父王，只是这会使她大哭一场。我想割去她脚趾间的皮，再把脚趾扎紧，让它们长在一起，这样一来她的脚就会像大家一样，就不需要再穿鞋子了。"

"你是说我有脚趾头，你这个坏东西！"妖后叫着，怒气冲冲地朝哈尔立浦冲过去。站在他们中间的大臣侧着身体，挡在了他们中间，接着他冲着王子说道：

"王子殿下，"他说，"也许需要提醒你一下，你自己也有三只脚趾头，其中一只在一只脚上，另两只在另一只脚上。"

【语言描写】
魔王的话表现了他们之间的不和谐，反映了妖后对前妖后的讨厌。

【细节描写】
"叫"、"怒气冲冲"、"冲"，表明了妖后对王子的话的气愤。

"哈哈！哈哈哈！"妖后哈哈大笑，扬扬得意。

大臣得到了鼓励，继续说道：

"我认为，王子殿下，要使你的百姓敬重你，你要向他们证明，尽管不幸你是一个来自地面的妈妈生的，你仍然是他们中间的一个。假使你只想做一次比较小的手术，那么我讲得再明白一点儿，你应该明智地考虑到未来的公主。"

"哈哈哈！"妖后笑得更响了，魔王和大臣也都笑起来。王子不知道说什么好，只是气得直哼哼。三个妖魔都拿王子的狼狈相互开心。

【行为描写】
　　将王子的生气表现得淋漓尽致。

在火光的照耀下，柯迪可以看得清妖后的相貌。如果用地上人的审美观点来看得话，她可并不美丽。因为她鼻孔的宽度超过鼻子的长度，两只眼睛很不对称，像两只直立的鸽蛋，一只大头朝下，一只小头朝下。她的嘴巴比纽扣眼还小，可是笑起来，嘴巴一直咧到耳朵根。而她的耳朵呢，几乎长在面颊当中。

【动态描写】
　　"哗啦啦"的响声会给柯迪带来什么呢？他会暴露吗？

由于急着想知道他们的谈话，柯迪大着胆子顺着一块光滑的石头滑下去。一不小心，滑到了洞穴的地上，哗啦啦地带下来好些松动的石头。

妖魔们一被这一异常的响动吓了一跳，很快，他们看到了进犯者的真面目。在他们自己的宫殿里，还从来没有发生过这样的事。但当他们看清了手握鹤嘴锄的柯迪，怒火之中不免又有些恐惧，因为这是第一个胆敢进犯他们王国的矿工。

魔王朝前站直了不过身高四尺，挺起胸来有三尺半宽，在所有妖魔中，他算是最漂亮也最结实的一个。这时他大摇大摆地走到柯迪面前，叉开两只脚，神气活现地说：

"谁让你闯进了我的王宫！"

【语言描写】
　　突出了柯迪的机智、镇定。

"我并没有想闯入你的王宫，只是不小心来到了这里！"柯迪回答，"我迷了路，不知道我走到了哪里。"

"你是怎么进来的？"魔王问。

"从山上一个岩洞里进来的。"

"可是你是一个矿工！瞧你手上的鹤嘴锄！"

柯迪瞧瞧鹤嘴锄，回答道：

"我在离这儿不远的地上找到了我的鹤嘴锄。有几只怪物在玩鹤嘴锄，把我绊了一跤，你瞧，陛下。"柯迪给他看了看身上被抓破的伤口。

魔王见柯迪很有礼貌，不像自己臣民平日讲的矿工那样粗鲁。他以为柯迪见到了他十分害怕才彬彬有礼地对他讲话，不免有些得意扬扬，不过他并没有因此对这个入侵者有什么好感。

"服从我的命令，马上从这里离开。"他说，知道自己说这话其实是在嘲弄他。

【语言、行为描写】
表现了柯迪的机灵、聪明，应变能力很强。

"非常乐意服从你的命令,请给我一个向导。"柯迪说。

"一千个都没有问题!"魔王带着讽刺的口吻,慷慨大方地说。

"一个就足够了。"柯迪回答说。

魔王发出了一声怪叫,有点儿像喊叫,又有点儿像咆哮,许多妖魔立刻蜂拥而来,把岩洞都挤满了。魔王对为首的一个妖魔轻轻说了句话,柯迪没听见说什么,这句话在妖魔中一个接一个地传下去,很快站在最后面的妖魔也得到了指示。他们向柯迪围拢来,柯迪觉得情况不对,退到石壁跟前,妖魔们一步步向他逼来。

"别动!"柯迪喊道,握住手中的武器。

这些家伙并没有停下来,而是狂笑着向柯迪逼近,柯迪开始念起诗来:

【语言描写】

柯迪的应答表现了他的冷静和勇敢。

【动作描写】

"狂笑"一词突出了妖魔们的得意和可怕,面对满岩洞的妖魔,柯迪的诗有作用吗?

> "十,二十,三十,
> 你们都是肮脏鬼!
> 二十,三十,四十,
> 你们都是傻瓜蛋!
> 三十,四十,五十,
> 你们都是吹牛蛋!
> 四十,五十,六十,
> 三分像人,七分像鬼!
> 五十,六十,七十,
> 人鬼不分还是鬼!
> 六十,七十,八十,
> 你们的脸像石板!
> 七十,八十,九十,
> 你们的手像石块!
> 八十,九十,一百,
> 加在一起整一百!"

还别说,这一方法还真有效果。一听到诗歌,妖魔做出种种可怕的怪脸,看样子他们非常难受,一个个龇牙咧嘴，汗毛直竖，也许因为柯迪是临时胡乱编的，编得不太好。也许因为魔王和王后在场，壮了妖魔的胆，等诗一念完，妖魔们又重新围了上来，成百双的长手臂大手掌要来抓他。柯迪举起了鹤嘴锄，用锤子一样方方的钝头朝身旁哈尔立浦的头上重重地打去。虽然武器重重地砸在了对方的头部，可妖魔只发出一声恐怖的叫喊，又扑上来抓他。

柯迪闪身躲避而过，这时，他突然想起了妖魔们的弱点。于是他冲到魔王身边，使出浑身力气朝魔王脚上踩去。魔王痛得顾不得自己的尊严，杀猪似的嚎叫起来，差点儿没跌倒在火堆里。柯迪又转身冲进妖魔群里，用双脚左右乱踩。妖魔纷纷后退，痛得哇哇乱叫，不一会儿工夫就溃不成军。

柯迪一路踩下去，顿时怪叫声、怒吼声响成一片。说真的，要不是这种声音增强了他取胜的信念，柯迪也会吓得心惊肉跳的。正当妖魔们乱成一团，互相践踏，争先恐后地逃出洞去时，柯迪的面前突然出现了一个新对手。那妖后两眼冒火，鼻孔怒张，头发根根竖起，朝着柯迪冲过来。她仗着自己那双用花岗石凿成的鞋，向柯迪发起进攻。

柯迪本来不想和女人过招的，但这时是生死关头，手下不能留情。柯迪一时忘了她穿着鞋，用尽全力向她的脚上踩去。这一踩倒使他自己痛得差点儿跌倒在地。要击败她，只有用鹤嘴锄砸破她的石头鞋。他刚刚想到这一点，妖后已经猛地抱住他冲出岩洞，把他投进另一个洞穴里，不过还能听见妖后在那大呼小叫，接着四周响起了群妖的脚步声。他听到有一样东西顶住洞口的声音，接着又有许多石头噼里啪啦落在他身上。石子还没有落完，他就感到一阵头晕，他的头部受了重伤，很快便失去了知觉。

柯迪被隐隐作痛的头痛弄醒了，他努力睁开眼睛却什么也看不到，只见四周一片漆黑。等他的眼睛慢慢适

【动作描写】
这段话表明妖魔的头很坚硬，照应前文。

【比喻】
运用比喻，突出了魔王疼痛难忍，也证实了妖魔们的致命弱点在脚上。

【神态、动作描写】
神态描写淋漓尽致地刻画出了妖后的愤怒。

【引出后文】
柯迪被扔到哪儿了呢？设置悬念，引出下文。

应了黑暗时,才明白自己被困在一个黑洞中。洞口被一块巨大的石头堵得十分严实,从石缝里透进来一线火光。他用力推了几下,那大石头一动也不动,除了大石头,它们还运来一大堆小石子挡在路口。柯迪四处摸索着想找到他的鹤嘴锄,可是摸了半天仍然一无所获,看来这一次难脱厄运了。

【细节描写】
科迪被困得严严实实,他能脱险吗?

阅读与理解

【名师点拨】

突转的情节牵动人心,通过语言描写展现了这些妖魔的特点,柯迪的厄运设置了悬念。

【回味思考】

1.柯迪为何迷路了?

2.妖后为何不怕柯迪?

对抗妖魔

名师导读

在被擒并且失去武器后，勇敢的柯迪并没气馁，他继续用他的歌声和妖魔作斗争。

不知过了多久，柯迪再次从昏睡中醒来，他发现自己的身体已经复原，只是肚子饿得厉害。他不知道自己被关在这里有多久了，因为这里漆黑无比，根本没有办法判定时间。

其实已经是第二天的夜里，因为妖魔白天睡大觉，夜里才起来活动。地底下不管白天黑夜都是黑暗的，因而妖魔没有必要选择作息时间，对他们来说反正白天黑夜都一样。他们讨厌地面上的人，所以做事的时候，就尽量避开他们。挖地道时要避免碰到矿口，放羊吃草，或者捕捉野羊时，也要避免碰到山里人。那就只有等到太阳落山，上面变得跟地下一样黑的时候，他们才出来活动，那样他们那鼹鼠似的眼睛也才忍受得了。除了自己烧的火和火把，妖魔已经完全不能适应其他亮光。

柯迪靠在洞口边缘仔细听着外面的动静。幸运的是，他听到他们正在谈论着的话题。

"要关他多长时间？"这分明是哈尔立浦的声音。

"我想用不了几天，"魔王回答说，"他们这些人可跟我们不同，我们七八天不吃东西照样好好的，而我听说我他们这些地上人每天要吃两三顿东西！你们能相信吗？他们

【叙述】
黑暗让柯迪失去了判断时间的依据。

【比较】
这段话直接交代了妖魔的另外一个缺点——怕光。

【语言描写】
这段话交代了妖魔和地上的人的区别，也表现了魔王对地上的人的了解。

的肚子里一定都是空空的,这一点和我们就差别太大了。我想,饿他一个星期就够他受的了。"

"如果你能允许的话,"妖后插嘴说,"我想我应该对这件事发表一些意见。"

"那个浑蛋完全由你处置,我的王后,"魔王说道,"你想怎么对待他就怎么对待,我完全不管。"

妖后大笑起来,她看来比昨夜要高兴多了。

"我想说,"她说,"浪费这么多新鲜肉实在是可惜啦。"

"我没有明白你的意思,亲爱的?"魔王说,"要饿饿他,那就是说不给他一点儿肉吃,不管是腌的,还是新鲜的。"

"我说得再简单不过了,我的大王!"妖后回答说,"我是想,把他饿得很瘦了,骨头上就没有多少肉可以啃了。"

魔王爆发出一阵大笑。

"原来是这个意思呀,我的妻子,你随时可以吃掉他,"魔王说,"可我并不想吃他,我想他的肉一定老得嚼都嚼不动。"

"这是对他的抬举,而不是对他的惩罚。"妖后回答说,"我们可怜的小动物就不能享受一顿营养丰富的食物吗?我的小狗、小猫、小猪和小熊一定会吃得很高兴的。"

"你是最能干的管家,我亲爱的王后!"她丈夫说,"就这么办吧。把我们的人叫来,把他拖出去宰了。他是罪有应得,竟敢闯到我们最隐蔽的地方来,真是罪大恶极。我看不如把他的手脚都绑起来,扔在大殿的火光下,我们可以在大殿的火光下看他怎样被撕成碎片。"

"没有比这更好的主意了!"妖后和王子高兴得一边大叫,一边拍着手掌。他们发出的声音可真够难听的。

"还有一点,"妖后想了一阵,补充说,"他是一个爱惹麻烦的家伙。这些太阳底下的可怜虫,总是喜欢惹出许多麻烦。我不明白,我们有这样充沛的精力、高强的本领,什么都懂得,干吗还要允许他们生存下去。为什么不把他们彻底消灭,这样就能随意享用他们的牛羊和牧场了。当然咱们可不想住在他们那糟糕的地方!阳

【动作描写】
魔王爆发出的大笑,表明了他对妖后意见的认可,也说明柯迪处境危险。

【动作描写】
"一边……一边……"关联词的运用充分刻画出了他们开心的样子。

光非常不合我们的口味。可是我们能把那儿作为户外活动的地方。我们的牲口也会习惯阳光，即使眼睛照瞎了也没有关系，反正能养肥就行了。甚至咱们还能饲养他们的牛和别的牲畜，那样我们就能吃到一些好东西，像奶油和奶酪，现在我们难得尝到这些东西。偶尔尝到的也是我们的勇士从他们的农场里弄回来的。"

"我会好好考虑你的建议的，"魔王说，"你是头一个提出这样建议的人，你真是个战胜敌人的天才。可是，正如你刚才说的，这些人爱惹麻烦。我想，你这是在提醒我，最好让他饿上一两天，饿得他精疲力竭，我们就能把他抓出来了。"

"从前有个妖精，
住在一个洞里，
忙忙碌碌的妖精，
做了只没底的鞋子。
小鸟飞来问它：
'妖精，你做了什么？'
'用块硬硬的石头，
做了只上等的鞋子。'
'这鞋子有什么用，先生？'
小鸟问道，
'它只有鞋帮，没有鞋底。
'这可是最好的鞋子，先生，
没有鞋底，就不会穿洞。'
妖精啊妖精，
你可不用担心。
既然你没有灵魂，
你的鞋子何必要有鞋底？"

"你听到什么难听的声音了吗？"妖后大声嚎叫起来,可以看得出来,她十分惊恐。

"要让我来说的话,"魔王板着脸,气呼呼地说,"正是那个可恶的俘虏发出的声音!"

"住嘴!马上给我停下来!"王子大声吼道。他气势汹汹地站起来,走到堵着洞口的石子堆前,朝着监禁柯迪的石洞喊叫:"要不然的话,我就砸烂你的头!"

"走开!"柯迪喊道,又重新唱起来。

"我实在受不了啦,"妖后说,"我真想再用我的鞋子,狠狠踩他的脚趾头!"

"还是让我们睡觉去吧。"魔王说。

"现在可不是睡觉的时候。"妖后说。

"我要是你,我就去睡觉。"柯迪说。

"住口!"妖后轻蔑地呵斥道。

"真烦人!"魔王神气活现地说。

"是这样的吧!"柯迪回顶他一句,又开始唱起来:

> "上床去吧,
> 妖魔要睡觉。
> 帮帮妖后忙,
> 帮她脱下鞋。
> 如果这样做,
> 你就会发现,
> 她那一双脚,
> 都有脚趾头。"

"胡说!"妖后狂怒地吼道。

"顺便说,他倒是提醒我了,"魔王说,"自从我们结婚以来,我还没有看到过你的脚。我看你还是先脱掉鞋子,再上床吧!你的鞋碰得我好痛。"

【细节描写】
　　"嚎叫"、"惊恐"表现了妖后对于柯迪的歌声极端害怕。

【语言描写】
　　魔王的建议表现了他对柯迪可怕歌声的无可奈何。

【语言描写】
　　表现了妖后的愤怒,她为何会这样呢?

"你想怎么办就怎么办！"妖后气呼呼地说。

"你应该服从你丈夫的命令。"魔王说。

"我才不想呢。"妖后说。

"我既然说了，就不会改变。"魔王说。

显然魔王听从了柯迪的劝告，走到妖后身旁，想弄清真相。柯迪听见一阵扭打的声音，接着魔王像杀猪似地号叫起来。

"你还想看看吗？"妖后恶狠狠地说。

"好了，别弄了，真是一场胡闹。"

"放开我们！"妖后得意地叫道，"我要去睡了，你什么时候想来随你便。可是，要我做王后，我就要穿着鞋子睡觉。这可是我王后的特权。哈尔立浦，睡觉去。"

"马上。"哈尔立浦说。

"我也去睡。"魔王说。

"好吧，"妖后说，"你听着，要听话，不然我就要——"

"好的，我会听话的！"魔王尖叫着，发出了一阵难听的哀鸣声。

他们的谈话声逐渐模糊起来，没有多久就听不到任何动静了。

火堆没有熄灭，有几丝光亮从外面透了进来。柯迪想，现在应该再努努力了。可是他发现，大石头与石壁之间，连手指头也插不进去。他用力去顶一顶那石头，那石头却一动也不动，好像跟石壁长在一起似的。没有办法，柯迪只好安静地坐了下来想对策。

他想好了，看来只能装死了。这样，他们就会把他运出去，他可以乘机逃脱。至于那些妖魔，只要能找到鹤嘴锄，他就不怕他们。要不是王后有那双可怕的石头鞋子，他根本就不会怕他们的！

在妖魔晚上出来之前，他除了作诗，没有别的事可做，这是他现在唯一的武器了。当然，他还是决定暂时把这一武器保留着，还得抓紧时间多创作一些新的更具有杀伤力的诗歌。这样，在使用它们的时候就可以得心应手了。想到这儿，柯迪的脸部掠过了一丝微笑。

阅读与理解

【名师点拨】

  直接描述和妖魔们的对话，交代了妖魔们与地上人的不同，表现了他们对地上人的恨。柯迪的临危不惧、抵抗到底，让我们看到了他的机智与勇敢。

【回味思考】

  1.柯迪用什么对抗妖魔？

  2.魔王为何要看妖后的脚？

路的丝线

这一天一大早,小公主就被一阵奇怪的声音惊醒了,她紧张地听了听,听到好像是什么怪物在打斗。 这时,她想起来她祖母叮嘱过的在遇到危险时应该怎么办。她立刻从手上脱下戒指,把它放在枕头下面。她这样做的时候,立刻就感到掌心里好像有一根线在轻轻地牵动。

【心理描写】
心理描写表现了艾琳对老祖母的信任。

"我的祖母说得没错,"她心里的一个声音说出了这样的一句话。想到这儿,她再也不觉得害怕了。小公主飞快地穿上美丽的小鞋子,准备走出房间去。这时,她瞥见床边椅子背上有一件天蓝色的斗篷。这可是她从来没有见到过的,可是它好像是特意为她准备的。她把斗篷披在身上,于是,就感到祖母的丝线在牵动她右手的食指。她跟着丝线走,心想它一定会把她领到楼上去。她走到门边,发现丝线落下去了,几乎贴在地面上,她不得不弯下身子,才能摸到。

【设置悬念】
祖母并没有让艾琳去她那儿,那么她想让艾琳干什么呢?她到底有什么安排呢?

可是,使她有点儿担心的是,丝线没有领着她朝楼梯那儿走,而是领着她朝相反的方向走。丝线引她朝着厨房的方向,走过狭窄的走廊,又引她拐过一个弯,来到通向后面花园的门口。女佣人都到楼上去了,花园门敞开着。穿过花园,丝线仍然贴在地面上朝前走,把她带到墙根下一扇通向山坡的门。她走出这扇门,丝线升高到她腰部,这样她可以很方便地摸着丝线走路。丝线领她一直朝山上走去。

其实,这天并没有什么怪物闯进来,事情的原委是厨子的大黑猫给管家的小花狗追急了,撞在公主房门上。由于房门没关紧,它们一下子窜进屋里,打起架来。可是,保姆怎么会睡得这么死,什么都没有听到呢,这倒是个耐人寻味的问题。

山上的空气十分好,气温也恰到好处,蓝色的天空十分透明干净。天空中有几丝碎云,太阳还没升起来,有几朵云彩的边缘已经染上了朝霞,好像从天空中挂下许多根橙色和金黄色的丝线,叶子上滚动着圆圆的露珠,一颗一颗好像是闪亮的钻石小耳环。

"啊,那根蛛丝多么可爱呀!"公主看着前面山上飘动着一根长长的蛛丝,在阳光中闪闪发光,心里这样想。

【比喻】

　　把阳光比喻成"丝线","露珠"比喻成"钻石小耳环",突出了山中空气与景色的美丽宜人。

现在不是蜘蛛结丝的季节，<u>艾琳前面那根闪闪发光的蛛丝就是自己的丝线</u>，它正领着她去一个陌生的地方。自从她出生以来，她从来没有在日出之前出来过。她感到周围的一切都是那么新鲜，那么清新，那么富有生气。所以，小公主内心没有一丝恐惧，现在的她也许早忘记了自己为什么会来到这里。

丝线领她朝山上走了好长一段路，然后向左拐弯，朝下坡走去，到了上次艾琳和露蒂遇见柯迪的地方。关于这一点，我们的小公主可没记得那么清楚，因为上次她可真是被吓得够呛，根本没有心思观察道路情况。在晨曦中，这条小路特别可爱，视野开阔，空气清新。一眼望去，这条路几乎一直伸展到地平线，她经常在这路上等候父王和他卫队的到来，聆听那嘹亮的号角声。

她走得这条山路崎岖不平，越走越难走。丝线沿着小路延伸，艾琳粉红色的小手指摸着丝线朝前走。她走到一条小溪旁，泉水叮叮咚咚地响着，朝山下流去，山路和丝线沿着小溪向上走。<u>山路越来越陡，越来越高低不平，山峦也显得越来越荒凉。艾琳开始想到自己已经离家很远了</u>。她回过头来一看，田野已经看不见了，四面光秃秃的山把她包围起来。可是丝线还在继续往前伸展，公主也跟着往前走。

这时，天已经大亮了，前面有一块巨大的岩石，那岩石好像是从天而降的金兽。公主发现泉水正是从那块岩石的洞里流出来的。这儿山路已经到了尽头，但是丝线还在朝前领。<u>她发现丝线要引她进入那个流出泉水的岩洞里，不由得浑身上下打了个寒战，但是她的脚步并没有放慢</u>。

她很快就走入了洞中，洞内十分宽敞，靠近洞口的地方，还有一点儿朦胧的亮光。转了一个弯以后，亮光消失了，走了几步路，周围就是漆黑一片。这时她真有点儿害怕起来。她时时刻刻摸着丝线朝前走，走进了大山洞的深处；她时时刻刻想着她的祖母，想着祖母对她讲过的那些话，想着她是那么慈祥，那么美丽，也想着她那间可爱的房间，那堆玫瑰火和那盏光线能照透石壁的神灯。她越来越相信丝线自己不会带她来这儿，一定是祖母派它来的。

她的心有点儿不太稳了，只能不停地想着祖母的笑容来给自己鼓劲。路渐渐地往下倾斜，有些地方不得不在凹凸不平的石级上往下走，有时还要在梯子上往下爬。丝线引着她穿过一条条狭窄的通路，跨过一堆堆石头、沙子和烂泥，把她领进一个不得不爬着进去的小洞。小洞这一边的路跟刚才那一边的没有什么两样。

【侧面描写】
这句表现了公主的害怕，也从侧面反映了洞内黑暗，路的难走与可怕。

"还要不要继续走下去？"艾琳一遍遍地问着自己，不过使她不解的是她没有一丝恐慌的感觉，她觉得自己好像在梦境里走路一般。有时她听到岩石里模模糊糊有流水的声音，有时她又听到好像刮风的声音，那声音越来越近，又渐渐变得模糊，然后消失了！她跟着丝线，转过了无数个弯。

【行为描写】
"无数个弯"表现了道路的蜿蜒、曲折。

最后，她看见一道暗暗的红光，走近云母窗，绕过石壁，走进有一堆炭火余烬的山洞。这时丝线开始升高，超过了她的头顶，还在往上升。要是高得她摸不着那该怎么办？要是把丝线往下拉，会把它拉断的！丝线还在往上升，就像她戒指上的火蛋白石一样在火光中闪出红光。

现在她来到一大堆石子前面，这堆石子形成一个斜坡。她爬上去，发现那丝线钻进石子堆里，不见了。她一个人站在石堆上，面对着坚硬的岩石，一时间感到好害怕，因为她觉得祖母好像丢弃了她。那根祖母用海外蛛丝做原料，在月光下为她精心纺成的丝线，那根放在玫瑰火上炼过，系在火蛋白石戒指上的丝线，带着她到了这儿，让她留在这可怕的岩洞里，丝线竟离开了她！她被抛弃了！

【动作描写】
丝线把公主带到了妖魔的石洞！这暗示了什么呢？柯迪会得救吗？

这可怎么办呢，看了看四周，小公主把身子朝石堆上一靠，小声地哭了起来。还好她不知道隔壁的洞穴里就躺着几个妖魔,其中一个还穿着一双石鞋子,当然她也不知道大石头的后面有谁在那儿。

终于,她又想到了一个办法,她可以跟着丝线退出岩洞回家去。她站起身来,摸到了丝线。可是她刚想摸着它往回走时,它又摸不着了。那丝线引着她的手往前走,往石堆顶上走。可要往回退,那丝线就不知去向了。怎么会这样呢,这一下我们的小公主完全慌了神,她倒在石头上,大哭了一场。

【叙述说明】
　写出了丝线的神奇、古怪。

阅读与理解

【名师点拨】

以丝线为线索,反映了一路上艾琳细腻复杂的心理变化,并推动故事情节的发展。

【回味思考】

丝线把公主领到了哪儿?

意外安排

祖母的丝线带着艾琳救出了柯迪,而柯迪却始终无法相信一切是丝线的引领。

等她哭够了就不由自主又去摸那根丝线,她发现那丝线总是从石头缝里往下钻。这时,她灵机一动有了主意,为什么不搬开几块石头,看看那丝线到底钻到哪儿去了。她差点儿没笑起来,自己真傻,为什么刚才竟没有想到这一点。她跳起来,马上开始行动,这时,自信又回到了她身上。她相信,祖母的丝线不会带她到这里来然后把她扔在这里。她开始动手,尽快地把石堆上的石子扔开,就这样,她开始按照自己的想法干了起来。

搬掉一些石子以后,她发现丝线转了方向,笔直地朝下延伸。这儿,石子堆是倾斜的,越朝底下越宽,现在她得搬开许多石子才能跟上丝线。还不光是这样,她很快发现丝线往下走了一段距离,一会儿折向这一边,一会儿折向那一边。丝线在石子堆里东拐西弯地钻进去。她想,也许她得把这一大堆石子都搬开才行呢! 想到这一点,她很沮丧,不过她并没有浪费时间,而是更加努力地干起来。尽管腰酸背痛,手指还磨破了流着血,她还是不停地搬着石块。她很高兴地看着这堆石子渐渐地小下去,在篝火前堆起了她搬过来的石子。

另一件事也使她鼓足了勇气。她移去石块时,发现那丝线虽然转了方向,却不是松松垮垮挂在石头上,而

【动作描写】
"不由自主"一词表现了此时公主对丝线的依赖与信任。

【动作描写】
这句话反映了公主的勇敢和坚持不懈的精神。

总是绷得紧紧的,这使她确信祖母一定在丝线另一头的什么地方。

就在小公主流着汗努力搬着这堆石头时,忽然有一个声音从天而降般钻入了她的耳朵,把她吓得差点儿摔下去。只听那声音高声唱道:

"吵闹鬼,讨厌鬼,砸烂你!

把你们统统都砸碎!

吵什么,砸烂你,讨厌鬼!

你们统统都要倒霉!

砸烂你,讨厌鬼,吵闹鬼!"

柯迪唱到这儿,停了下来,可能他已经没有什么新鲜的诗歌了,也许是他想起了要让妖魔相信自己已经衰弱下去,刚才他给艾琳吵醒时可没有想到这点。不过他的歌声已使艾琳听出他是谁来了。

"你是柯迪!"她高兴得大叫起来。

"嘘!嘘!"又传来了柯迪的声音,"小声点儿。"

"怎么了,你不是在大声唱歌吗?"艾琳说。

"不错,不过他们知道我在这儿,却不知道你在这儿。你是谁呀?"

"我是艾琳,"公主小声地回答道,"我很清楚你是谁,你是柯迪。"

"为什么,艾琳,你怎么会来这儿?"

"我的老祖母派我来的,我想现在我明白了这是为什么了。你出不来了,是吗?"

"是的,你说得对。你在干什么?"

"我在搬这堆石头。"

"你真是一位好公主!"柯迪高兴得差点儿没叫起来,不过他还是把声音压得很低,"只是我不明白你是怎么到这儿来的。"

"我的祖母让我跟着她的丝线找来的。"

"我听不懂你在说什么,"柯迪说道,"不过既然你已经在这里了,别的就都无关紧要了。"

"是的，正是这样！"艾琳回答说，"要不是我祖母，我是不可能跑到这儿来的。"

"等我们出去以后，你再把这一切告诉我吧，现在可不能耽误时间了。"柯迪说。

于是艾琳又干起活来，比刚才有劲儿多了！

【侧面描写】

这句话表明艾琳明白祖母意图后的开心。

"这么多的石子，"她说，"我要费好多好多时间才能把它们搬完呢！"

"现在你搬掉多少了？"柯迪问。

"我最多只搬掉了石堆上面一半，下面的那一半太多了。"

"依我看，你不用搬掉下面一半了。你看到有一块大石块顶着石壁吗？"

艾琳瞧了瞧，又用手摸了摸，很快就摸到了那块大石块。

"你说得对，"她回答说，"我摸到了。"

"太好了，我想，"柯迪说，"只要你把顶住大石块的石子清除掉一半，或者再多一点儿，我就能把它推倒。"

"不管我做什么，我必须跟着丝线。"艾琳回答说。

"我还是听不懂你在说什么？"柯迪说。

【语言描写】

"更努力"反映了公主的救人心切，也表现了她的善良与勇敢。

"以后你就会明白了。"公主回答说，更努力地工作起来。

这一次没有费太大功夫，她就完成了柯迪要他做的事情，显然这也是丝线要她做的。因为当她清除掉一大半石子时，她看见丝线穿过大石块和石壁之间的缝，钻进了禁闭柯迪的岩洞。这时再不把大石块搬掉，她就不能再跟随丝线向前了。

她非常高兴地轻声说道：

"现在，柯迪！我看只要你用力一推，大石块就会倒下来。"

"太谢谢了，你站开一点儿，"柯迪说，"你准备好了告诉我。"

艾琳爬下石子堆，站在一边。

"好啦,柯迪!"她喊道。

柯迪用肩膀顶住大石块,用足力气推去。大石块倒了下来,柯迪从洞里爬出来。

"你救了我的性命,艾琳!"他轻轻地说。

"哦,柯迪!我很高兴!我们赶快离开这个可怕的地方吧!"

"这说起来容易,做起来可就难啦!"他回答说。

"哦,不!这很容易,"艾琳说,"我们只要跟着我的丝线走就行了。我相信它一定会带我们出去的。"

她已经准备跟着丝线爬过翻倒的岩石,走进那个洞里,柯迪正在洞穴里寻找他的鹤嘴锄。

"在哪儿呢!"他喊道。"哦,这可不是!"他失望地说道。"这能是什么呢?我想这是一个火把。那也很好!大概比我的鹤嘴锄还有用处呢。如果能用它对付石头鞋子,那就更好啦!"他一边说,一边吹旺即将熄灭的火堆,点燃火把。

【语言描写】
虽然好不容易逃脱,柯迪仍不忘对付妖后,表明了柯迪对付妖魔的决心。

他举起火把照了照那黑暗的大山洞,他发现艾琳已经钻进了他刚才钻出来的洞穴。

"你到那里去干什么?"他喊了起来,"那儿出不去,我就是被关在那儿逃不出来的。"

"我知道,"艾琳轻声说,"不过我的丝线要我走这条路,我必须跟着它。"

【语言描写】
从艾琳的话我们可以看出艾琳对丝线、对祖母的信任。

"真是胡闹!"柯迪对自己说,"不过我必须跟着她,保护她。等一会儿她发现了走不通,就会跟我走的。"

他举着火把,又爬过大石块,钻进了那个岩洞里。他四下张望,没看见艾琳的影子。这时他才发现,这个洞虽然很窄,但比他原先想象的要长得多。岩洞朝一个方向渐渐低落下去,形成一个狭窄的通道,深不见底。公主一定是爬进那通道里去了。他一只手拿着火把,用另一只手和膝盖撑在地上,跟随她爬进去。

那个通道弯弯曲曲地向前伸展,有的地方低得几乎爬不过去,有的地方却又高得看不到顶,不过一路过去都非常狭窄，妖魔是别想挤过去的。所以，妖魔是想不到柯迪会从那里逃出去的。他开始为公主担心起来，可是他听见她的声音好像就在他耳边。

"柯迪，你跟过来了吗？"

他转过下一个弯，公主已经在那里等他了。

"我知道在这样窄的洞里你是不会走错路的，不过这里是一个开阔的地方，你得靠我近点儿。"

"我真弄不明白！"柯迪说，仿佛在自说自话，又仿佛在对艾琳说。

"没关系，我们马上就会走出去的。"

柯迪见她好像十分熟悉这里的情况，走的又是一条连他也不熟悉的路，不知道怎样表示自己的惊奇了。不过他并没有让公主不高兴，只好随着她走。

柯迪一边追随着公主，一边想着："我是一个矿工，倒不认得这条路。她好像很熟悉这条路，却又说不出为什么。我真不明白，她像我一样也在找出去的路，她带路，而我只好跟着。可是，不管怎样说，现在总不会比刚才更坏。"

就这样，两个孩子走了一段路，来到另一个很大的洞穴。艾琳笔直地穿过去，好像对她的每一步路都很有自信似的。柯迪跟在后面，用火把东照照西照照，想看清四周有些什么。突然火光照到一样东西，使他大吃一惊，吓得倒退了几步。几尺高的一个平台上，铺着羊皮，羊皮上睡着两个可怕的妖魔，柯迪认出这是魔王和妖后。他立刻垂下火把，免得惊醒他们。当他放下火把时，火光照到了他的鹤嘴锄，它就在妖后的身边，妖后的手垂在锄柄旁。

"等一下，"他尽量压低声音说，"你拿着火把，别让火把照在他们脸上。"

第一次这么近地看到妖魔，我们的小公主吓得不由自主地倒退了好几步，不过她还是照柯迪说的去做，转过身子，把火把低低地握在跟前。柯迪轻轻地抽出鹤嘴

【语言描写】
可以看出艾琳信心十足。

【心理描写】
心理描写表现了柯迪对于公主的做法的惊讶与不解。

【行为描写】
虽然害怕，但是公主还是按照柯迪说的做了，展现了小公主的勇敢。

·118·

锄，一面窥探妖后从羊皮里伸出来的脚。那只笨重的石头鞋子，就在他手边，对他有不可抗拒的诱惑。他抓住石鞋，小心翼翼地把它脱下来。就在鞋子到手的一刹那，他吃惊地发现，妖后竟有六只可怕的脚趾头。他为自己的成功感到高兴，看到羊皮隆起的地方还有另一只脚，就轻轻地把羊皮掀起来，心想，只要把另一只鞋也拿走，他们就再也没有什么战斗力了。

【外貌描写】
这句话暗示了妖后穿鞋子和不肯让魔王看她脚的原因。

就在柯迪的手刚触摸到妖后另一只脚时，妖后大吼一声，从床上坐了起来。与此同时，魔王也惊醒了。

"快跑，艾琳！"柯迪大叫一声，尽管他自己并不害怕，却很为公主担心。

艾琳见可怕的妖魔醒了，就像个聪明的公主那样，把火把扔在地上，一脚把火踏灭，然后叫道：

"来，柯迪，拉住我的手。"

【动作、语言描写】
动作与语言描写，突出了公主的镇定、机智与善良。

柯迪冲到艾琳身边，抓住她的手，没有忘记拿起妖后的鞋子和他的锄头。公主毫不畏惧地跟着她的丝线快步朝前跑。他们听见妖后在大声吼叫，可是等妖魔们点亮火把来追赶他们时，他们早已走远了。当他们看到背后有一丝亮光时，丝线已经把他们领到一个非常狭小的洞口，艾琳很轻松地爬了进去，柯迪却费了好大劲才挤进去。"现在，"柯迪说，"我想我们是没有危险了。"

"是的！"艾琳回答。

"你怎么知道呀？"柯迪问。

"因为我的祖母在照顾我们。"

"你还在乱说，"柯迪说，"我实在听不懂你在说些什么。"

【语言描写】
这段话表明柯迪对公主所说的话不信任，也从侧面突出了祖母的神奇。

"既然你不知道，你凭什么断定我就是在乱说呢？"公主问，有点儿生气了。

"对不起，艾琳，"柯迪说，"我不是有意惹你生气的。"

"当然不是，"公主回答说，"那么你为什么认为我们安全了呢？"

"因为魔王和妖后太胖了，钻不进这个洞的。"

【语言描写】
　　这段话表明由于特殊的身份，"王"和"后"在公主眼中是可亲可敬、高贵的。

"他们会走别的路的。"公主说。

"是的，我们还没有跑出去呢！"柯迪同意说。

"可是，你为什么称呼他们魔王和妖后呢？"公主问，"我才不会称呼这种东西为王和王后呢！"

"可是他们的百姓是这样称呼他们的。"柯迪回答说。

　　这时，对他们两人来说，剩下的路就没有什么惊险可言了，他们一边走，一边聊了起来，公主问他怎么会被困在这里。柯迪就从在山上碰到公主和露蒂的那个晚上讲起，讲到了妖魔的性格和习惯，还讲到了他自己进入妖魔地区探险的经过。他讲完以后，请求艾琳告诉他，她怎么会来救他的。这样艾琳也要讲一个很长的故事,不过她讲得转弯抹角,还常常被一些解释不清的事情打断。她的话,柯迪相信的还不到一半。

对他来说,听了公主解释后就跟没听一样糊里糊涂。他不能相信公主会故意编出这样的故事来骗人,他只能得出这样的结论,那一定是露蒂为了达到自己的目的,故意编了一大堆谎话来吓唬她!

"可是露蒂怎么会放你独自一人到山上来呢?"他问。

"露蒂可没有教我这么说,我想,她现在还在打鼾呢。"

"你是怎么找到我这儿来的呢?"柯迪一个劲儿的要问清楚这点。

"我已经告诉过你了,"艾琳回答说,"用手指摸着我祖母的丝线,就像我现在做的这样。"

【语言描写】
柯迪多次问同一个问题,再次突出了这件事的不可思议。

"你是说你把丝线带到这儿来了?"

"当然啦。我已经对你说过十遍了,我的手指从来没有离开过它,除了搬石头时没有办法。这儿!"她又添了一句,拉着柯迪的手凑到丝线上去,"你自己摸摸看,摸到了吧?"

"什么也没有!"柯迪回答说。

"你和我就这点不同吧,我能感受到的你却一点儿也感受不到。来吧,再试试,要知道,它很细,在阳光下看起就像一根蛛丝,不过它是由许多根丝线捻在一起纺成的……不过我也不明白,为什么你不能像我一样摸到它呢?"

柯迪没有回答,因为他的每次尝试都只是徒劳,但是他并不想让小公主伤心。

小公主又说话了。

【细节描写】
这段话印证了老祖母所说的,公主拥有与生俱来的特殊能力,并不是所有人都能感知这一切。

"我摸得到,而且你应该为它感到高兴,因为它在领我们出去呢!"

"可是我们还在这儿转圈子呢!"柯迪说。

"别担心,一会儿就出得去。"艾琳满怀信心地说。现在丝线在往下走,领着艾琳来到了地上的一个小洞前面,从里面传出流水的声音,他们已经好几次听到这种声音了。

"丝线现在往地下走了，柯迪。"她一边说，一边停了下来。

这里，柯迪又听到另一种声音，现在那声音越来越响。他坚信这是妖魔矿工在挖地道的声音，看来他们就在不远的地方。艾琳也听到了这个声音。

【心理描写】
妖魔矿工挖地道干什么呢？引出下文。

"这是什么声音？"她问道，"你知道吗，柯迪？"

"当然知道，这是妖魔们挖地洞的声音。"他回答说。

"他们挖洞干什么？"

"这我就不知道了。你想去看看他们吗？"他问道，他很想去探听一下妖魔的秘密。

"要是我的丝线带我到那儿去，去看看也没关系。可是现在我不想去看他们，我不能离开我的丝线。它进了地洞，我想我们最好还是马上就进去。"

【语言描写】
柯迪的话表明他对公主的关心和想要保护公主的心理。

"好，让我先进去好吗？"柯迪问。

"不，还是让我领头吧。你摸不到那根丝线。"她一边说，一边钻进了地上一个很窄的洞。"哦！"她叫起来，"我踏进水里去了。水流得很急，不过不深，还能走路，快点儿，柯迪。"

洞口很小，根本容不下柯迪的身体。

"你往前走几步。"他对公主说，高高举起了鹤嘴锄。

没凿几下，洞口就足够他进去了。柯迪跟着公主钻进了洞里。他们跟着流水往下走，走啊走啊，艾琳越来越担心他们会走到深山里一个可怕的深渊里去。有一两个地方，他不得不凿掉岩石，好让艾琳走过时不会擦伤身体。

【夸张】
夸张的运用从侧面反映了洞中的路难走，因此时间长。

不知道过了多久，也许只有几分钟吧，可他们在黑暗中觉得好像一个世纪一样长。这时他们来到一个阳光明亮的地方，他们的双目被光晃地生疼。

他们揉了揉眼睛，终于看清了自己的位置。公主发现他们俩现在竟然站在王宫的花园里，就靠着她和爸爸那天下午坐的那张椅子。他们是沿着小溪流过的河道跑出来的。

她高兴得又跳舞，又拍手。

"现在，柯迪！"她叫嚷着，"你还不相信我告诉你的祖母和她的丝线吗？"

因为她一直感到柯迪不相信自己告诉他的话。

"看！你没有看见前面那根闪闪发光的丝线吗？"她又说道。

"我什么也没看见。"柯迪坚持说。

"好吧，虽然你看不见，你还是应该相信，"公主说，"因为你无法否认是它把我们从山洞里带了出来。"

"我当然要承认没有你的引领，我一定会死在那个漆黑的山洞中，关于这一点我要好好谢谢你！"

"多亏了那根神奇的丝线，要不然，我根本不能做到。"艾琳接着回答。

"而你说的丝线我却始终也没有看见。"

"行了，我想等我们有机会再讨论这个问题吧，露蒂会给你一些东西吃的。我想你一定饿坏了。"

"说得对。不过我爸爸妈妈一定在为我着急，我必须马上就走，先赶到山上去告诉我的妈妈，然后再下矿井去告诉我爸爸。"

"柯迪，这样也好，不过你走这条路是走不出去的。我带你穿过屋子，这是最近的路。"

一路上他们没有碰到别人，因为跟上次一样，仆人们正在忙着到处寻找公主呢！他们俩走进屋子，艾琳发现就像她希望的那样，丝线一直朝那旧楼梯引去。她有了一个新念头，回过头对柯迪说：

"我的祖母要我去。跟我一起上去看看她吧，这样你就会知道我讲的都是真话了。来吧，柯迪，别让我失望。你不相信我说的是真话，我真受不了。"

"我不是故意不相信你的，艾琳。"柯迪回答说，"我只是以为你的有些幻想是不大正确的。"

"好吧，跟着我，柯迪！"

【语言描写】
柯迪的话表明他始终不肯承认，也无法相信是艾琳祖母的丝线给他们引路。

【侧面描写】
这段话从侧面体现了丝线的神奇。

【语言描写】
这段话表明柯迪坚持认为艾琳的话是假的。

小矿工尽管不情愿走进这座富丽堂皇的大房子，可是经不住好朋友的再三央求。就这样，我们的小矿工和他高贵的公主朋友一起走上了祖母的阁楼……

阅读与理解

谁在撒谎

　　为了证实自己说的话,艾琳带柯迪去看自己的祖母,可是柯迪什么都看不见……

　　他们又走上了老阁楼的楼梯,艾琳越走越高兴。她在祖母的工作室门上敲了敲,却没有回音,也听不到纺车的声音,她有一丝失望。不过这种失望没有持续多长时间,她转过身去,又敲了敲另一扇门。

　　"进来!"祖母好听的声音在回答,艾琳打开门,走了进去,后面跟着柯迪。

　　"你可来了,小宝贝!"祖母喊道,她坐在红白两色的玫瑰火焰旁边,"我在等你呢,我真有点儿为你担心,你再不来,我可要亲自去接你了。"

　　她说着,把小公主抱在她的腿上。她穿着一件白衣服,看起来比以前更美丽了。"我把柯迪带来了,祖母。他不相信我告诉他的话,所以我带他来看看你。"

　　"是的,我看到他了。柯迪是个好孩子,一个勇敢的孩子。你把他从山洞里救出来,不感到高兴吗?"

　　"关于这一点,我十分开心。可是他不相信我也不相信您的存在,这一点让我不太满意!"

　　"人必须相信他们能够相信的事,很相信某些事物的人不应该去责备那些还不太相信的人。要是你没有亲眼看见过,你能相信吗?"

　　"说得对,我的祖母,我也这么想。我相信你是对

【细节描写】
　　艾琳的高兴是因为她认为马上可以向柯迪证实自己话的真实性。

【语言描写】
　　祖母的话表明她一直暗中帮助艾琳,并一直负责她的安全。

【语言描写】
　　表现了老祖母的善解人意,能够站在他人的角度考虑问题。

的。可是,他现在总该相信了吧!"

"那你问问他吧。"祖母回答说。

"你还不相信吗,柯迪?"艾琳一面问,一面仔细看着柯迪。

柯迪站在屋子中央,睁大眼睛,看得出他十分的惊奇。小公主以为那是因为祖母的美丽使他感到惊讶!

"向我的祖母鞠个躬,柯迪。"她说。

"我没有看到你的祖母。"他的口气有点儿生硬。

"你没有看见我的祖母,没看见我坐在她的身上吗?"公主喊叫起来。

"是的,我没有看到!"柯迪又说了一遍,口气有点儿不耐烦。

"你没有看见那可爱的玫瑰花火焰,里边有红白两色的玫瑰花?"艾琳问,几乎跟他一样困惑。

"没有,我没有看到。"柯迪说,脸色有点儿阴沉。

"也没有看见那蓝色的床?那玫瑰红的床单?还有天花板上那盏像月亮一样美丽的灯?"

"原来你一直在戏弄人,尊敬的公主殿下,你这样做,使我觉得非常难以理解和接受!"柯迪说,他感到自尊心受到伤害。

"那你能看到什么呢?"艾琳问,马上意识到,自己不相信他,跟他不相信自己一样,这种感觉真是让人感到不快。

"我只看见空荡荡的一间顶楼——就像我妈妈茅屋里的房间,只是大得能装得下整座茅屋。"柯迪回答说。

"还有什么?"

"我看见一只木桶,一堆发霉的干草和一个干瘪的苹果,一线阳光从房顶中央的一个洞里射下来,照在你头上,使得房间看上去有一种奇怪的暗褐色。我看你最好还是离开这儿,公主,你也应该回去了,别让王宫的人再为你担心了。"

"但是,我刚才和祖母说了好多好多的话,你不会什

【语言描写】

柯迪确实没有看到公主的祖母,这是怎么回事呢?

【神态描写】

脸色有点阴沉,表明此时柯迪生气了,以为公主在戏弄他。

【细节描写】

公主快要哭出来表现了她的失望与伤心。

127

么都没有听到吧？"艾琳问，几乎要哭出来。

"我听到了，不过我听到的只是许多鸽子的叫声。要是你不想下去，我就自己下去了。也许那样会更好些，因为我相信不管谁碰到我们，都不会相信我们的话。他们只会以为这一切都是我们编造出来的。除了我的爸爸妈妈，我并不期望任何人相信我。我的父母知道我是不会说谎的。"

"看来我不能让你相信，柯迪！"艾琳伤心地问。她发现她和柯迪之间有一道鸿沟，懊恼得哭起来。

"是的，我不能相信你，我也不想这样，可我就是看不见！"柯迪说完，转身朝门口走去。

"我该怎么办呢，祖母？"公主哭着，把脸贴在祖母的胸口上，她想止住哭泣，浑身都在发抖。

【动作描写】

"哭"、"贴"、"发抖"体现了公主得不到信任伤心至极。

"你必须给他时间，"她祖母说，"你也应该忍受暂时不被别人相信，这是很难受的。不过我们必须忍受，还要忍受许多回呢！我会让柯迪最后改变对你的看法的。不过现在你得让他走。"

"你还不走吗？"柯迪等着她，问道。

"是的，我要留下来，祖母说我必须让你走。你走下最后一级楼梯，向右转弯，就能走到大厅，大门就在那儿。"

【语言描写】

柯迪直率的语言表现了他的坦诚和他以为自己被愚弄而生气。

"关于这一点，公主，用不着你指点，也用不着你祖母的丝线。"柯迪很直率地回答。

"柯迪！柯迪，你真要走吗？"

"对，艾琳，我非常感激你把我从山洞里救出来，不过我希望你没有愚弄我。我得马上回去了，我的父母亲一定着急坏了。"

他飞快地打开门，静静地走下楼去。艾琳很沮丧地听着他的脚步声渐渐远去，然后回过头来对祖母说：

"祖母，为什么会是这样呀？"她哭泣起来，眼泪止不住地又流了下来。

"我的宝贝，请你相信，我这样做是有理由的。有些事情柯迪还没有能力相信。看见并不等于相信，看见只

128

·128·

不过是看见而已。你记得我告诉过你，要是露蒂看见我，她只会擦擦眼睛，把看到的忘掉一半，还说另一半也是梦幻。"

"是的，不过我想柯迪他……"

"你是对的。柯迪比露蒂更直率，不过你会看到将来会怎么样的。今天，你也许深深地体会到了让人不理解是十分难受的。可是有时候我们不得不这样做，因为有一件事更重要得多。"

"什么事呢，祖母？"

"去理解别人。"

"祖母，我想你说得十分对。我应该公平地对待别人。要是我对别人不理解，我也就不能要求别人来理解我。我懂了，所以柯迪现在没办法相信我，我不能对他生气，只能耐心等待。"

"这才对！"祖母说，把她紧紧搂在怀里。

"刚才我进来时，你为什么不在工作室里呢，祖母？"艾琳沉默了一会儿问道。

"要是我在那儿，柯迪就会看见我。为什么我要在那儿，而不在这间美丽的房间里呢？"

"我想你还在纺纱。"

"现在我不需要为谁纺纱了。如果我不知道为谁纺纱，我是从来不纺纱的。"

"你提醒了我——有一件事我感到不明白，"公主说。"你是怎么把丝线从山里收回来的呢？你不会为我另外再纺一根吧！那样做太麻烦了！"

祖母把她放在地上，站起身来，走到火炉旁边。她把手伸进火里，又取了出来，在她的食指和拇指之间就捏着那团亮晶晶的丝线球。

"我已经把它收回来了，你瞧。"她回到公主身边，说道，"我先准备好，在你需要的时候可以用。"

她走到小柜子旁边，把球放进了抽屉，就像上次一样。

"拿好你的戒指。"她说，从自己左手的小手指上脱下戒指，戴在公主右手的食指上。

"哦，亲爱的祖母！现在我什么也不怕了！"

"我的好孩子！"祖母又使劲地把她搂在怀中说："你的手给石头磨破了，我数过了，一共有九处伤呢！看看你现在的样子吧。"

祖母心疼极了，把一个小镜子递给了她。公主看到镜子里的模样，快活得大笑起来。她给溪水弄湿了衣服，爬山洞时又沾上了污泥，要是她不知道镜中的是自己，一定会以为这是个吉卜赛女孩，一个月里只洗一次脸，只梳一次头。

祖母也笑起来，又把她抱到自己腿上，给她脱掉斗篷和睡衣，然后把她带到房间。艾琳不晓得她要给自己做什么，可是她没有发问。直到发现祖母要把她放进一只银子做的大浴盆，这才有点儿害怕起来。因为她往里一瞧，还是跟上回一样看不见盆底，只看见几里远的地方星光闪烁，好像是一个蓝色的深渊。她不禁双手紧紧抓住祖母的手臂，不肯放开。

祖母又一次把她紧紧搂在怀里，说道：

"别怕，我的孩子。"

"不，祖母。"公主回答，紧张得透不过气来。过了一会儿，她的身体已经浸在阴凉清澈的水里了。

当她睁开眼睛时，她只看见自己前后左右都是一片奇妙的天蓝色，别的什么也看不见，祖母和那美丽的房间都不见了，她完全孤独了。可是她并不害怕，而是觉得好开心，简直感到幸福。祖母的声音不知从哪儿传过来，她正在唱一首陌生的好听的歌，她听得清每一个词，可是对它的意义却只有一种感受，并不能懂得。

这首奇怪的歌让她感受到一种十分奇怪的情绪，她没法用人间的语言将它表达清楚。在以后的几年中，有时候在她记忆中会出现这首歌曲的片段，几句歌词或几段曲子，这曲子让她总是感到十分舒适自在。每次一想起这曲子，她做起事来就十分有劲儿。

小公主在水里洗得舒服极了。她不知道自己在水中泡了多长时间，后来她感到那双美丽的手抱住了她，把她从水里抱出来，抱回到那个可爱的房间。

房间里早就生起了熊熊烈火，在火边，祖母将她围在一块干净的布中为她擦干身上的水。祖母擦起来跟露蒂是那么不同。做完这一切以后，祖母弯下腰去，从火中取出一件睡衣，白得像雪一样。

"真好闻！"公主叫起来，"它比世界上所有的玫瑰花都香呢！"

当她站到地上来时，她觉得自己好像换了一个人似的。所有的伤口和疲劳都消失了，她的手变得像以前一样柔软。

"现在我要抱你到床上去好好睡一觉。"她祖母说。

"可是露蒂会怎样想呢？王宫里的人不会为我担心吗？"

"不用担心，当你睡醒时，你会发现一切都如你

【叙述】
　　舒适的感觉让小公主忘记了时间。

【说明】
　　祖母的银灯、玫瑰火、油膏以及银浴盆都有着神奇的力量。

· 131 ·

所愿。"她祖母一边说着,一边把她抱到蓝色的床上去,替她盖上了玫瑰色的被子。

【语言描写】

虽然得不到柯迪的信任,艾琳仍然为他担忧,这表明了艾琳的善良,也表明她已经理解了祖母的话——去理解别人。

"对了,"艾琳说,"真想知道柯迪现在怎么样了,是我把他带进屋的,他不会再碰到那些烦人的妖魔了吧?"

"至于你的矿工朋友,"祖母回答说,"你就不用担心了。据我所知,他已经回到山上他妈妈的屋子里,正在吃着可口的午饭呢!"

当艾琳最后的一丝牵挂都不再困扰她时,她的心情前所未有的愉快,她将头贴在枕头上,不久就发出了香甜而亲微的鼾声。

阅读与理解

【名师点拨】

艾琳和柯迪两人见到的景象的对比,体现了祖母的神奇之处;而艾琳和祖母的对话,可以看出二人的善解人意。

【回味思考】

1.柯迪为什么看不见祖母?

2.艾琳反应如何?

妈妈的故事

名师导读

　　妈妈的故事让柯迪认识到了自己的错误。死里逃生的柯迪并未放弃计划，而是继续打探消息……

　　当柯迪离开时，他的心情并不好，因为他依然觉得受到了他高贵的朋友的嘲弄，还有就是生他自己的气，因为他今天的表现并不像个十足的绅士。

　　这种不快的情绪一直跟随着他，直到他回家后，吃着妈妈为他准备好的香甜饭菜时也没有表现出十分开心的样子。妈妈见儿子平安回家，高兴得不知所措，于是又急忙跑到矿井去告诉丈夫儿子的安全归来。等她从矿里回来时，只见儿子已经在床上睡熟了。晚饭时分，柯迪的爸爸收工回家了。

　　当他们坐下来吃晚饭的时候，父母以期盼的目光鼓励着他把事情的来龙去脉说一遍！柯迪点点头，把发生的事情详细说了一遍，一直说到他和小公主从王宫的花园中出来为止。

　　"然后呢？"他妈妈问，"你应该把一切都告诉我们。从妖魔手里逃出来，你应该高兴才是。可是，我看你从来没有像现在这样愁眉苦脸。你一定还有其他心事。再说你闭口不谈那个可爱的孩子，而我真喜欢听你多谈谈她。她可是公主呀，却为你做了那么多，你怎么就不好好感谢感谢她呢？"

　　"她总是胡扯一些根本没有的事情！"柯迪回答说，

【心理描写】

　　这段话表明柯迪不只是生艾琳的气，也意识到自己对艾琳的态度不对。

【语言描写】

　　闭口不谈公主，表明柯迪仍然为公主"愚弄"他而生气。

"她告诉我一大堆事情,可是那都不是事实。"

"是吧,说来听听,她都胡说了些什么?"柯迪的爸爸关心地问道,我想你说出来我们倒十分愿意帮你分析分析。

于是柯迪把丝线和老祖母的事情从头至尾讲了一遍。

父母都没有说话,一直静静地听着儿子的描述,一边听,一边思索着其中的道理。最后柯迪的妈妈开口了。

【细节描写】
体现了柯迪父母的体贴与对儿子的重视。

"孩子,你认为,"她说,"她告诉你的这些有一部分你不可能相信是吗?"

"是的,妈妈,"他回答说,"我真不明白,为什么一个每日被关在王宫漂亮房间里的小女孩儿对地下的情况了如指掌,谁会告诉她我在那里。她还一个人独自跑来,找到关我的地方。接着,把我救出山洞,又从山里把我领出来,那条路即使像地面上一样明亮,而那条路连我自己都不知道!"

"根据我的分析,我觉得她说得不可能全是假话。她既然能把你领出来,一定有什么东西在引导她。为什么不可能是一根线、一根绳,或者别的什么东西呢?有些事情你没法解释,也许她的解释是对的。"

"可是……妈妈,我不相信。"

"可能你没有好好想一想吧,你也许会发现那是一个很好的解释,并且完全相信它了。我不是怪你不相信它,而是怪你不应该认为这样一个孩子会来欺骗你。她为什么要骗你呢?她把所知道的一切都告诉你了。只有等你把事情全弄明白了,你才能下正确的结论。"

【语言描写】
这句话表明柯迪的妈妈对公主品格的信任。

"可是我一直都在思考着她的话,就是想不通!"柯迪说着低下了头,"可是你对她的祖母是怎么看的呢?这是我想不通的地方。她带我到一个旧阁楼上去,不管我亲眼看到的是什么,硬要我相信那是一间美丽的房间,有着蓝色的墙壁和银色的星星,还有很多别的什么东西。可是那里除了一只旧木桶、一个干瘪的苹果、一堆稻草和一束阳光之外,什么东西都没有嘛!她说房间里有她高贵的祖母,那至少总得有个老婆婆才是啊!"

"她在讲这些话的时候,是不是好像她真的看到了那些东西,柯迪?"

"可不是吗,她说这些话的时候,你一定会认为,她真的这样想,也真的看到了她所说的一切东西。可是那里明明什么也没有啊!这真是太怪啦!"

"我想有些人确实可以看到他人看不到的东西,柯迪,"他的妈妈非常严肃地说,"我想告诉你,我曾经亲眼看到过的一样东西——大概你也会不相信我的!"

"哦,妈妈,妈妈!"柯迪叫起来,"您说的一切我都有理由相信是真的!"

"不过我要告诉你的事也是非常奇怪的,"妈妈坚持说,"你听了会说我一定是在做梦。我不知道我该不该生你的气,可是至少我当时并没有睡着。"

"你就说一说吧,妈妈,也许这可以帮助我好好想一想公主的事情。"

"我就是基于这样的想法才决定讲给你听的。"妈妈说,"可是首先,我要提到一件事,根据古老的传说,国王的家族中有些不同寻常的事情。王后与国王有着相同的血统,他们是远房表兄妹。关于他们有许多奇怪的传说——都是一些有趣的故事——可是都很怪,非常奇怪。我说不上来这些故事究竟在讲些什么,我只记得祖母和妈妈讲这些故事的时候,她们眼睛里充满了惊奇和敬畏。她们窃窃私语,从来不大声讲。我亲眼看到的是这样一件事:有一天晚上,你爸爸在矿井下干活,我去给他送饭。那时我们刚结婚,你还没有出生。你爸爸送我到矿井口,让我独自回家,因为这条路我熟悉得就跟家里一样。那天晚上很暗,在岩石下面的有些地方暗得伸手不见五指。可是我一路平安,也根本没有想到害怕。我走到你熟悉的一个地方,柯迪,就是在小路向左边转弯,有一块很大的岩石的地方。我走到那里,突然给五六个妖魔团团围住。你可以想象得到当时我是多么的害怕，因为那可是我平生第一次看到这些恶魔，虽然在此之前我对他们早有耳闻。"

"当时我们要是也在你的身边，情况也许就不一样了！"爸爸和儿子异口同声地叫起来。

妈妈滑稽地笑笑，继续说下去。

"我还看到几只奇异的动物，那是他们养的家禽。他们把我的衣服撕碎，我担心他们接着会把我也撕成碎片。这时，忽然有一大片白色柔和的光照到我身上。我抬头一看，只见一大片光线，像一条闪光的路，从一颗巨大的银球上照下来。那银球悬挂在空中，不太高，事实上还没有地平线高。它不可能是一颗新星，也不可能是另一个月亮。妖魔们显出惊慌失措的样子，不再纠缠我了。我以为他们要逃跑了，不料他们过了一会儿又回过来纠缠我。就在这时，从那颗银球的光亮里飞出一只鸟来，闪闪发光，好像阳光照耀下的银子。它很快地拍打

几下翅膀，然后展开翅膀，顺着光线直冲下来。在我看来，它像是一只白鸽。不管它究竟是什么，妖魔一看见那鸟儿笔直地向他们冲来，立刻丢下我逃走了。我平安无事了，只是吓得半死不活。那鸟儿赶走了妖魔，又迎着亮光飞上去。它飞进那颗银球的光圈中后，亮光消失了。当时我惊呆了，我相信你们可以想象得出我当时的感受。"

"听起来就像是神话传说！"柯迪惊叹地说。

"对，是这样，不过这可是我自己亲身经历的事情。要是别人告诉我同样的事情，我也许也会不相信的。"妈妈说。

"事发后的第二天，你妈妈就是这样一字不差地把它讲给我听的。"爸爸说。

"你不会以为我会怀疑自己的妈妈吧？"柯迪叫道。

"世界上还有一些人就跟自己的亲生妈妈一样值得我们信赖，"妈妈说，"我不知道你信赖我是否仅仅因为

我是你妈妈，不过有许多妈妈也喜欢撒谎。几个星期前我看到过那个小女孩，当时她正在跟迎春花讲话，当我一看到她就觉得她是一个真正的天使，而天使是不可能说谎骗人的。"

"不过公主们也会像别人一样撒谎的啊！"柯迪说。

"是的，不过那个孩子不会。她是一个好孩子，我确信，这一点比她是一个公主要重要得多。光凭这一点，你这样对待她是要后悔的，柯迪。你至少应该不开口才是。"

【语言描写】
柯迪妈妈的话可以看出她是那么的正直、善良、谦逊。

"现在我后悔了。"柯迪回答说。

"看样子你得找个机会好好和她聊一聊，还要为你的粗鲁道歉。"

"真不知道何时能有这样的机会。我这样一个小矿工不能跟她单独谈话，我也不能当着她保姆的面跟她解释。小公主会问我许多问题，我不知道她想要我回答些什么。她告诉我，露蒂不知道她到山里来救我。我相信保姆要是知道了，一定会阻止她的。可是以后我也许会有一个机会，那时我一定会为她尽力。爸爸，我想我们终于找到线索了！"

"真的吗，我的孩子？"彼得说，"我相信你会取得成功，在这件事上你非常努力。你发现什么了？"

"你知道，爸爸，在山里面，在黑暗里，你转了好多个弯之后，根本就找不着北，而她却一点儿没有被迷惑。"

【语言描写】
从柯迪的话可以看出山里地形的复杂。

"是的，根据我多年的实践证明，没有一张地图，那是根本不可能的，至少也得有一个指南针。"爸爸说。

"是的，我想我已经弄清了妖魔挖地洞的方向。要是我猜得对，我就可以把这一点跟其他的一些事情放在一起思考，这样两件事情合在一起，就能猜出第三件事情。"

"你说得很有道理，柯迪，我们矿工都知道这一点。现在，告诉我们，那两件事情是什么，让咱们一起来琢磨琢磨，看能不能跟你猜的一样。"

"我看不出这些事跟公主有什么关系。"妈妈插嘴说。

"很快你就会看出来的,妈妈。也许你会认为我傻,不过在我确信这一猜想是没有根据以前,我将下更大的决心去进行观察。当我们爬出洞口时,我听到妖魔的矿工就在我们下面挖洞。自从我监视他们以来,他们已经挖了半英里多长的路,挖的是一条直线。据我了解,他们并没有在大山的其他地方挖掘,可是我以前一直弄不清他们往哪个方向挖掘。当我们从国王的花园里出来时,我马上想到他们可能是要挖到国王的房子下面去。晚上我就去弄清楚是不是这样,我要带一盏灯去。"

"哦,柯迪,"妈妈叫道,"你这样做会被他们发现的。"

"我现在对他们更不怕了,"柯迪回答说,"妖后丢了一只鞋子,这对他们来说可是一个大的打击。形势对我太有利啦!尽管她是一个女人,我下次也决不饶过她。我用灯的时候会小心的,我不想让他们看见,我不会把灯戴在帽子上。"

"告诉我们你打算做什么?"

"这一回我打算带一张纸和一支笔,从上次我们爬出来的水洞里钻进去,尽可能把每个转弯的方向在纸上记下来,一直记到妖魔挖洞的地方,这样就能弄清楚他们在朝哪个方向挖了。他们挖的洞如果与小溪平行,我就知道他们一定是朝着国王的房子挖。"

"如果情况如你所料,你会以什么样的办法来对付他们呢?"

"对了,现在我又想起了一些事情。当我在洞里遇到妖魔皇族时,他们正在谈论他们的王子哈尔立浦,说他要娶一个在太阳下生活的女人,意思是像我们这样的,一个脚上有脚趾头的人。那天夜里他们开会时,有一个妖魔说,王子妻方亲属的行为将决定一代的和平。他这样说,是指王子要娶一个地面上的女人。我相信,魔王是那样骄傲,一定想让他儿子娶个公主。他不会认

为娶一个农妇做他的儿媳对他们会有什么好处。"

"我开始明白这话的意思了。"妈妈说。

"儿子，你放心吧！"爸爸说，"在公主与妖魔王子成亲之前，我们的国王会把这座山铲为平地的，哪怕他是再有本事的王子。"

【比喻】
　　把妖魔王子比喻成"癞蛤蟆"，表现这些妖魔的可恶。

"说得对，我赞成！"妈妈说，"越是不怎么样的家伙越是不知道天高地厚，就像那些每日大喊大叫的癞蛤蟆，其实它们什么也不会做。"

"不过我在想，"柯迪说，"如果他们把公主弄到手，他们就会告诉国王，要是他不同意婚礼，他们就会把她杀死。"

"依我看，"爸爸说，"他们倒不会马上行凶，他们会让她活着，因为抓住这一点，他们就能要挟国王。国王要对他们采取什么手段，他们就会恐吓说，他们会对公主也采用同样的手段。"

【语言描写】
　　表现了妈妈对妖魔的痛恨及对小公主的同情。

"这些坏蛋，他们也会去折磨她的，这点我知道。"妈妈说。

"不管怎样，我都要看看他们怎么行动。"柯迪说，"这件事想起来很可怕，我甚至不敢去想它。不过他们不会抓住她的，至少我会尽力去保护她。亲爱的妈妈，我的绳团已经准备好了，请给我一张纸、一支笔和一块豌豆布丁，我马上就出发。我已经看好一个地方，从那儿很容易翻过国王花园的围墙。"

"你要当心避开看守的卫兵。"妈妈说。

【语言描写】
　　这段话表现了柯迪丝毫不害怕妖魔，对付妖魔信心十足。

"放心吧，妈妈，我可不想让这些人也掺和进来，后果会很严重的。妖魔还会想出别的阴谋诡计，他们是那样顽固不化的家伙！我会当心自己的，妈妈。就是和他们碰上了，他们也没本事杀掉我、吃掉我。妈妈，你放心吧！"

柯迪准备好就出发了。靠着花园里通向山上的那扇门，有一块大石头，柯迪爬上这块石头，翻过了围墙。他把带来的绳拴在溪流出口处的一块石头上，带了鹤嘴锄钻进洞去。他刚走进去不远，就碰到一只可怕的动物朝出口处走来。通道非常狭窄，他和那动物没法擦肩而过，柯迪也不想放它过去。他没法使用鹤嘴锄，只能和它肉搏，他身上给咬了好几口，有几处还伤得挺厉害的。不过，我们的小英雄最终还是把这只可恶的动物给杀死了。

这天柯迪究竟碰到了什么危险，又是如何应对的，我们就不细细分析了。不过当他回到家时心情还是很不错的，因为他查明了妖魔正是在朝王宫方向挖洞，挖的洞在地下很深的地方。他相信他们是想把地道挖到小公主的屋子底下，然后从地下钻进宫里。他深信，这是为了对小公主下毒手，把她抢去给可怕的哈尔立浦做老婆。

【叙述】
　　在没法使用任何武器的情况下和怪物肉搏，并杀死对方，体现了柯迪的勇敢。

【心理描写】
　　柯迪终于搞清楚了妖魔的第一计划。

阅读与理解

【名师点拨】
　　妈妈的故事让我们看到了善良和一家人的相依相爱。柯迪再次行动突出了他的勇敢。

【回味思考】
　　1.柯迪的妈妈相信公主的话吗？
　　2.柯迪为什么对公主的看法有所改变？

真正的公主

名师导读

　　善良的艾琳在下人的眼里一直是一个孩子，而真正的公主是什么样的呢？

【场面描写】

众人的反应表现了大家对公主失踪一整天的着急与重视。

　　公主觉得很累，就美美地睡了一大觉。当她再次醒来时，小房间里挤满了女佣人们，卫兵们和一大群男佣人们则站在她们身后，有的在门口张望，有的想挤上来看一看。

　　"那些可怕的怪物走了吗？"公主问，首先想到了早晨受的惊吓。

　　"你可真是让人没办法！"露蒂大声地喊道。

　　可是艾琳并不说话，她想先看看她们会说什么。

　　"真没想到，你竟然会躲在被子下面，弄得我们以为你不见了呢！而且在里边躲了整整一天！你是个最不好对付的孩子！我要说，你这是拿我们开玩笑！"

【对话描写】

表现了露蒂的粗鲁无礼，小公主的反唇相讥则表明她不再是小孩子了，她有自己的想法与见解。

　　保姆对公主的失踪只能作这样的解释。

　　"我可没有那么做，露蒂！"艾琳十分平静地说。

　　"还不承认！"保姆十分粗鲁地喊道。

　　"反正别想让我告诉你发生的一切。"艾琳说。

　　保姆气愤地看着她的眼睛，没有说话。

　　"不告诉你跟撒谎一样坏吗？"公主喊道，"我倒要问问爸爸，他不会这样说的。我想他也不会喜欢你这样说话的。"

"好了,你就直说吧,你到底是什么意思!"保姆尖叫道,她很生气,但是又为自己的发怒可能会引起的后果十分担心。

"我把真话告诉你,"公主说,不知怎么的她一点儿也不生气,"你却对我说'别撒谎'。这样看起来要使你相信,就只能撒谎了。"

"你太无礼了,公主!"保姆说。

"你才太无礼,露蒂。你再这样和我说话我就永远不再搭理你,你好好考虑考虑吧,想想自己要怎么做。"公主说道。

其实此时小公主十分明白,她说得越多,露蒂反而会越不相信她。

"从来没有见过这样淘气的公主!"保姆喊叫道,"你这种淘气的行为,应该受到惩罚。"

"管家太太,"公主喊道,"请你领我到你的房间里去,让我等待我父王来看我。我会请求他尽可能快些来的。"

小公主这么一说可把大伙吓了一跳,在这以前,大家都认为她只不过是个爱玩的小家伙呢。

不过女管家害怕保姆,她想平息这场争吵,于是说:"保姆不是有意要对你粗暴无礼的,公主。"

"我想我的父王不会希望我有一个像露蒂这样跟我说话的保姆。要是她认为我说谎,她最好去告诉我爸爸,或者走开。华尔德先生,你愿意负责照顾我吗?"

"当然愿意,公主。"卫兵队长回答说,大踏步跨进屋来。

佣人们赶紧给他让路,他在小公主的床边深深地鞠了一躬。

"我立刻派我的仆人,骑上马厩中最快的马,去报告你的国王爸爸,说公主殿下希望他马上来看她。你可以从打杂的女佣里挑一个人服侍你,我这就命令他们去打

【语言描写】
保姆吵架式的语言表现了她对公主行为的愤怒。

【语言描写】
保姆的一再喊叫表明她一直把公主当成一个任她管束的孩子。

【动作描写】
众人的行为表现了他们对公主的敬畏。

扫房间。"

"太感谢了，华尔德先生。"公主说，她的眼睛瞧着那个脸颊红红的女孩子，这个女孩子最近才进来当洗碟女仆。

当事情发展到这一地步的时候，保姆可真吓坏了，她在床边跪了下来，大声地痛哭起来。

公主看了，内心觉得十分好笑。

【语言描写】
这些话可以看出公主成熟和威严的一面。

"我想，华尔德先生，"她说，"我还是留着露蒂吧。不过我把自己交给你来照顾，等下次再有这种事情发生时，再去请我的父王也不迟。好了，大伙现在都散了吧。

我只要露蒂陪着就可以了。"

阅读与理解

【名师点拨】

　　通过语言描写展现了公主成熟、威严的一面，动作、神态、语言描写反映了保姆的粗鲁无礼。

【回味思考】

　　1.公主向露蒂妥协了吗？

　　2.露蒂为什么哭？

再次遇难

名师导读

为了保护公主,柯迪到王宫花园打探消息,却遭到卫兵的误伤,被关了起来……

【说明】

聪明的公主用自己的身份和威严换来了尊敬和自由。

从这以后,公主的生活很舒服,保姆再不敢大声呵斥她了,因为她知道小公主虽然年纪轻轻可是却非常聪明。

不久,卫兵们发现了被柯迪杀死的那头妖魔牲畜,非常吃惊。他们猜测了半天,认为它是在矿里受了重伤才爬出来死掉的。反正只有一只怪物尸体,不会对活人造成任何威胁的。他们就是这样认为的。柯迪继续在山里侦察,妖魔朝地底下越挖越深。只要妖魔还在往深处挖掘,柯迪想,短时间之内还不会有什么不测发生。

【概括】

这段话表明整个夏季公主过得很快乐。

夏天过得很快,这个夏季,小公主获得了很大的快乐,她时不时地挂念着可爱的老祖母。晚上也常常梦到她,却很长时间没有再见到过老祖母。小山羊和花儿仍然是她最喜欢的,只要露蒂许可,她尽量跟山上遇到的矿工们的孩子建立友谊。可是露蒂对于公主的尊严有非常愚蠢的看法,她不懂得一个真正的公主最爱她的兄弟姐妹,最能为他们做好事,也最能谦逊地对待他们。

不过,她对待公主的态度变得好多了。她不得不承认,公主不再是个小孩子了,她要比她同龄孩子懂事得多。

有时保姆还会跟女仆们窃窃私语,对公主的一些做法和行为抱怨抱怨。

这段时间,柯迪心里也不大痛快,他为自己的鲁莽和自以为是而害羞。可是难以有机会面见公主当面认错。也许因为这个原因,他更加努力地保护公主。他的妈妈经常和他谈论这个话题,妈妈安慰他说,机会一定会有的!

我们都知道,对一个公主来说,拒绝承认一个过失,或者一个错误,那是一件丢脸的事。要是一个真正的公主做了错事,她会一直感到很难过,她会跟人家说:"我做了这件事,我希望我没有做,我后悔做了这件事。"希望通过这样来改正自己的错误。从这方面考虑的话,我们发现柯迪不像是一个普通的粗人,一个苦力,倒像是一个王子般高贵的人。

后来,柯迪发现妖魔挖掘的路线改变了。他们不再往深处挖,而开始沿着水平方向往前挖掘,因此他更加严密地监视他们。一天夜里,妖魔挖到坚硬的大岩石坡前,沿着岩石的斜面往上挖。到了岩石的顶部,他们又沿着水平方向挖了一两个晚上,然后以非常陡的角度往上挖起来。柯迪知道,是转移到另外一个地点去监视的时候了。

于是第二天夜里,他不再到矿里去观察。他把鹤嘴锄和绳团留在家里,又带了几块面包和豌豆布丁,下山朝公主的大房子走去。他翻过了围墙,整夜守在花园里,从一个地方爬到另一个地方,平伏在地上,耳朵贴着地面,静心细听。

不过,除了卫兵来回走动的脚步声,他没有听到什么。那天夜里乌云密布,又没有月光,要避开卫兵的注意并不困难。一连几个夜晚他都在花园里窥视。

一天夜里,入夜不久,不知道是他一时的粗心大意,还是明亮的月光暴露了他。他正伏在溪水流出处那块大岩石周围的地面上细听,想发现地底下妖魔矿工的动静。当他从岩石背后爬到草地上的月光里时，就听见"嗖"的一声，一支箭射在他腿上，这使他大吃一惊。他连忙扑倒在地上，想躲避卫兵，可是他们已经逼近了。

他刚想起身却被一阵剧痛折磨得再次倒了下去。原来箭头伤了他的腿，血正从伤口里涌出来。他立刻被两三名卫兵抓住了，反抗也没有用，他只好默默地听任他们处置。

【正面描写】
　　一个"涌"字突出了柯迪的伤势严重。

"原来是个男孩！"几个卫兵惊讶地叫起来，"我还以为是一个魔鬼呢！"

"你在这里干什么？"

"很明显，是来受一点儿你们粗暴的招待。"柯迪笑着对抓住他肩膀的卫兵说。

【语言、神态描写】
　　表现了柯迪的勇敢和无所无惧。

"无礼对你没有好处。国王的花园跟你有什么关系？如果你不老实招供，就把你当贼处理啦！"

"他还能来这儿干什么呢？"一个卫兵说。

"也许他是来找一只失踪的小羊。"有一个卫兵提示他，想帮他的忙。

"我们可不能轻易让这件事情就这样完了，不管怎么说，他根本不应该到这里来。"

"现在，请你们放我走吧！"柯迪说。

"这可不行，除非你老老实实地说清楚为什么到这儿来。"

"我不知道我是不是应该信任你们。"柯迪说。

"我们是国王陛下亲信的卫队。"队长彬彬有礼地说，他被柯迪的外貌和勇敢打动了。

"好，如果你们答应听我的话，不冒失行事的话，我可以告诉你们一切。"

【语言描写】
　　这段话表现了卫兵们对柯迪的不信任。

"真好玩儿！"一个卫兵取笑说，"如果我们答应他，使他高兴，他就会告诉我们他调皮捣蛋的事啦！"

"我没有调皮捣蛋！"柯迪说。

就在这时，柯迪突然身子一晃，躺在草地上失去了

知觉。这时他们才发现他腿上的箭，刚才以为他是一只妖魔的野兽，所以就射伤了他。

他们把他抬进屋，让他躺在大厅里。消息传开去，说卫兵捉到了一个强盗，于是仆人们都涌进来看强盗。保姆也来了，她一看到他，就愤愤地说：

"我告诉你们，他就是那个坏蛋小矿工，他在山上对我和公主粗暴无礼，他还想吻我们的公主呢！我一直提防着他，这个坏东西！他偷偷地跑进来了，是吗？他就是这样厚脸皮！"

这时，小公主还没有睡醒，所以保姆对柯迪的恶语没有得到阻拦。

队长听了她的话，尽管很怀疑这些话的真实性，不过还是决定先把柯迪关起来，等查明真相以后再说。所以他们等柯迪稍稍恢复了一点儿知觉，就给他包扎了伤口。他伤得很重，流了许多血。他们把他带到一间前面常常提到的空房间里，让他躺在一个床垫上，然后把门一锁，他们就离开了。

柯迪度过了十分痛苦的一夜。第二天早晨他们听见他在说胡话。晚上他恢复了知觉，不过还是很虚弱，受伤的腿痛得非常厉害。他不知道自己在什么地方，看见房里有一个卫兵，就问那卫兵，这样很快就想起了前一天夜里发生的事情。他知道自己不能再去监视妖魔，就把关于妖魔的事情统统告诉了那个卫兵，恳求他转告他的同伴，让他们用十倍的警惕去防备妖魔。

也许是不信任他，也许以为他病得厉害，那卫兵还以为柯迪仍在说胡话，就劝他别再说话了。柯迪当然十分懊恼，他感到轮到他不被别人相信了，接着他开始发起烧来。他苦苦哀求，把队长请来，可是队长也相信他说的都是胡话。他们尽力照料他，答应他所有的要求，但是并不真想去实行。

柯迪终于昏睡了过去，他们把他留在那儿，锁上了门，商议决定，先把他关在这里，等第二天再来决定处置他的方法。

阅读与理解

【名师点拨】

　　环境衬托、语言描写可以看出柯迪的勇敢与坚持。士兵们的语言和对柯迪的照顾反映了他们的友好与善良。

【回味思考】

　　1.柯迪被谁抓住了？

　　2.士兵们相信柯迪的话吗？

妖魔进犯

名师导读

柯迪受伤被抓住后关了起来,王宫里恰时发生了一些奇怪的事。这到底是怎么回事呢?

【语言描写】

奇怪的响动,为下文埋下了伏笔。

就在那天夜里,王宫的女仆们聊了会儿天,正在整理东西的时候,一个女仆突然听到一些奇怪的响动,她问道:"这是什么声音?"

厨子说:"这两天夜里,我老是听见这种声音。以前屋子里有声音,我总当是老鼠,可是这不像是老鼠发出的动静。"

"我听人说过,"一个洗碟子的女仆说,"老鼠会成群结队地搬家,也许有一大群老鼠新搬到我们这儿来了。昨天和今天我都听到了这种声音。"

"如果是这样的话,我的猫咪汤姆和管家太太的狗鲍勃就高兴了。"厨子说,"它们总能成为一次朋友吧,让它们并肩与老鼠作战吧!它们两个在这方面都是好样的,大家就瞧好吧。"

【语言描写】

从保姆的话,可以看出这种声音持续的时间之长,并且不是老鼠的声音。

"听起来,"保姆说,"那声音可要比老鼠响得多,我整天都听到这种声音。公主问过我好几次了,说那是什么声音。有时它们像是远处的雷声,有时又像那些矿工在地下开矿的声音。"

"如果说那是矿工的声音,我也不怀疑,"厨子说,"他们可能在山下凿了一些洞,声音就从洞里传到我们这里来了。你知道,他们总是在挖呀,钻呀,爆炸呀。"

就在此时,从地下传来轰隆隆一声巨响,房子也震动起来。这可把大家吓坏了,都奔到大厅里,卫兵们也一样惊慌失措,派人去叫醒他们的队长。听了他们的描述,队长说那一定是地震。虽说在那个国家里很少发生地震,不过一百年里也会发生一次,接着队长又睡下了。说也奇怪,他很快睡熟了,竟没有想到柯迪,没想到把他们听到的声音和柯迪告诉他的事情联系起来。后来大家没有再听到其他声音,便认为华尔德先生是对的,危险已经过去了,也许要再过一百年才会发生这样的事呢!

原来妖魔正在沿着岩石的斜面挖上去,挖到一块大石头,它在王宫地窖下面的地基中间。这块石头是滚圆的,妖魔们不用炸药,花了好大力气才把它挖松动了。那块石头从斜方上滚了下去,轰隆一声,把房子都震动了。妖魔们自己也给这声音吓了一跳,因为经过仔细侦察和测量,他们知道现在即使没有挖到国王的房子下面,也一定非常接近了。他们怕惊动了王宫里的人,引起警惕,因此待在那里,一动也不敢动。等他们重新动手,就挖到了黄沙层,这些黄沙填满了基石间的缝道,房子就建在这些基石上。铲掉这些黄沙,他们就从国王藏酒的地窖里钻了出来。

当他们发现已经打通了通往王宫的通道时,妖魔们欣喜若狂。它们飞快地回到妖魔的宫里,兴高采烈地去报告魔王和妖后这成功的消息。于是,妖魔王族和所有的妖魔都急急忙忙地赶到国王的房子里去,人人都想在那天夜里分享抢走艾琳公主的光荣。

妖后一只脚穿着石头鞋,另一只脚穿着兽皮鞋,一脚高一脚低地走着。这样走当然很不舒服,读者也许会奇怪,她身边有那么多熟练的工匠,为什么没有做出一只新的石头鞋子来替换柯迪拿走的那只鞋子。

原来,妖王反对她穿石头鞋子,利用她有脚趾头的秘密,恐吓她说,要是她再做一只石头鞋子,他就要揭露

【叙述说明】

妖魔们不知酒为何物，写出了他们的奇怪。

她的秘密。他坚持要妖后满足于穿兽皮鞋子，而现在允许她穿上剩下的一只石头鞋子，是因为她要上阵去打仗。

就这样，他们来到了王宫的酒窖中。当然，妖魔们是不喝酒的，也不知道这些液体有什么作用。要不然，我想它们一定会好好喝上一顿作为欢庆的。

阅读与理解

【名师点拨】

对声音的猜测为下文埋下伏笔，也印证了柯迪的话，而队长的大意为妖魔的进犯提供了便利。

【回味思考】

1.王宫中为什么有奇怪的声音？

2.队长认为是什么声音？

激烈的混战

名师导读

　　妖魔进犯之时,柯迪奇迹般地从昏睡中醒来赶去救援,接下来是一场激烈的混战……

　　此时,受伤的柯迪还在昏睡中,他一直做着梦,梦到了自己第一次见到小公主时的情境,梦到了从那以后自己所经历的一切。他梦到了自己在王宫花园中被卫兵射伤,觉得伤口还在隐隐作痛。这时他想起了自己被关在王宫中,想起了那些妖魔正在挖掘通往王宫的地道。他清醒地知道自己躺在关他的屋子里,这时,他听到了一声雷鸣似的巨响。

　　"妖魔们来了!"他说,"他们一句也不相信我的话!妖魔们要在这些笨蛋的鼻子底下把公主抢走了!不!他们不能!绝对不能!"

【语言描写】

　　简洁有力的感叹句表现了柯迪的着急和救公主的决心。

　　他想一下子跳起来,把衣服穿起来。可是,他失望地发现,自己仍旧躺在床上。

　　"不行,我一定要去救她!"他说,"起来!我起来了!"

　　可是他怎么也用不上力气,他尝试了二十次,二十次都失败了。事实上他并没醒,依旧在梦境里。最后他陷入绝望的痛苦中,觉得满屋子都是妖魔,他"哇"的一声大叫起来。

　　就在这时,他恍惚间看见有一只手在旋转他的门把。门开了,他看见一个白发女人,手里拿着一只银盒子,走进屋来。她走到了他的床边,她用清凉、柔软的手

【虚实结合】

　　玫瑰香味透露了人物身份,表明艾琳的祖母来帮柯迪了。

摸摸他的头和脸,把他腿上的绷带解开,用一种发出玫瑰香味的东西搽他的伤口。然后她用手在他身上挥动了三下,当她挥最后一次手的时候,一切都消失了。他只感到自己进入了深沉的睡眠,一直到他真得清醒过来,他什么也记不得了。

天黑了,月光柔柔的从窗外透入。只听无数杂乱的声音混合在一起,有轻有重的脚步声,武器的叮当声,男人的说话声和女人的喊叫声,还有吓人的怪叫声,好像在欢呼胜利。妖魔就在这幢房子里!柯迪一下子醒了过来,他飞快地穿好衣服,穿上他那双用钉子武装的鞋。然后他瞧见墙上挂着一把旧猎刀,也许是短剑,就抓在手里,冲下楼梯,朝吵闹声越来越响的地方跑去。这时,他来不及多想自己的伤势,好像伤口一点儿感觉都没有,就像没有受伤一样。

王宫的屋子里到处都是密密麻麻的妖魔,他冲进妖魔群里,大声喊道:

"一,二,

打啊,砍啊!

三,四,

炸啊,钻啊!"

每念一句诗,他就用力朝妖魔的脚上踩一下,同时还用剑砍他们的脸。他手中的剑飞快地舞动。妖魔吓得四下逃散,有的躲进壁橱,有的爬上楼梯,有的钻进烟囱,有的跳上房梁,有的逃进了地窖。

他一边战斗着一边观察着,竟然没有发现一个卫兵。直到他冲进大厅,听见大厅里妖魔一片吼叫,才看见那最后一个卫兵,也就是卫兵队长本人,正被一群满地乱爬的妖魔压在地上。刚才卫兵们个个奋勇作战,用刀去刺妖魔厚实的身体,他们很快就发现妖魔的头都非常坚硬,刀枪不入。妖后用那只可怕的石头鞋子踢他们的腿和脚,他们一个接一个地倒了下去。队长背靠着墙壁,最后一个被妖魔打倒。妖魔们本来可以把他们撕成

【动作描写】

"抓"、"冲"、"跑"这些动词体现了柯迪内心的着急。

【场面描写】

这段话表明卫兵们已经溃不成军,被妖魔打败了。

碎片，可是魔王下命令要捉活的，要不然这些可怜的卫兵早就命在且夕了。

柯迪疯狂地挥舞短剑，又蹦又跳，东转西转，一面踩妖魔的脚，一面唱道：

"哪儿有地洞，先生，不可能有地洞。

干吗他们的鞋要有鞋底，先生，他们根本没有灵魂！

可是她的一只脚上，先生，穿着一只石头鞋子；

还有那只结实的皮鞋，先生，马上就要穿出六个窟窿。"

妖后见到自己的死敌杀了进来，发出了一阵愤怒的号叫。柯迪从身旁一队妖魔开始，把他们一一制伏，然后让十一个卫兵一个个重新站了起来。

"踩他们的脚！"等到卫兵都站立起来，柯迪大声喊

【行为描写】
表现了柯迪的英勇无畏，机智聪明。

道。几分钟以后，大厅里的妖魔们都在一瘸一拐地逃命，嘴里叽里呱啦地叫着，还不时地用粗糙的手哆哆嗦嗦地去抱受了伤的脚，或者用手保护自己的脚，东躲西藏。

　　妖后和魔王就在前面，他们还包围着筋疲力尽的队长。魔王坐在队长的头上，妖后站在他前面，像一只激怒的猫，直立的眼睛里闪出绿光，头发半竖起来。不过，她心里却在发烧，那只穿兽皮的脚也在紧张地挪来挪去。柯迪离她还有几步远，她就笔直冲过来，狠命朝柯迪的脚踏去，柯迪及时把脚一缩，妖后踏了个空。她冲过去想把柯迪拦腰抱住，扔在大理石地面上。

　　可是，这一回柯迪没有让她得逞，就在她的手刚触到自己的时候，他用自己的钉鞋在妖后穿兽皮的脚上狠狠踩下去。妖后痛彻心扉地大叫一声，扔下他，马上蹲了下去，双手抱住了脚。这时卫兵们冲向魔王和他的侍卫，驱赶了他们，扶起倒在地上的队长，他差一点儿就被妖魔压死了。要不是柯迪杀进来，他可能也坚持不了多长时间了。

　　"公主呢？"柯迪一遍又一遍地叫喊。

　　可是这些人都傻了眼，他们这才发现公主失踪了。

　　他们找遍了房子里所有的房间，可是没有找到公主，而且连一个仆人也看不见。柯迪继续在楼下寻找，这时房子里已经平静下来，开始听到一种从远处传来的喧哗声。他循声找去，来到了楼梯旁的地下酒窖里。只见那儿挤满了妖魔，仆役长正在飞快地舀酒给他们喝。

　　当妖后带着一队妖魔去进攻卫兵的时候，哈尔立浦带着另外一队妖魔去搜查房子。他们碰到一个人就抓一个人，直到一个人也找不到为止。

　　妖魔把俘虏来的人纷纷押到地下的洞里去，仆役长也在俘虏当中。当仆役长发现妖魔的地洞就在酒窖下面，便灵机一动，劝妖魔尝尝酒的味道。不出他所料，妖魔们尝了之后，就喝个没完。后来，溃散的妖魔朝地洞逃去，经过酒窖时，也都参加了进来。当柯迪进去的时候,他们都伸出手,拿着从碟子到银杯各种各样盛酒的器具,拥挤着围住仆役长。仆役长坐在一只大酒桶的龙头上,不停地给他们斟酒。

柯迪向四周扫视了一眼,看见在最远的一个角落里蜷缩着一群可怜的仆人,他们丧失了逃走的勇气。在这堆人里他看见了露蒂惊恐万分的脸,可是他找不到公主。他深信哈尔立浦已经把她抢走,想到这里,他的心都抽紧了。他怒不可遏,气得连歌也唱不出来了,冲进了妖魔群里,又是踩,又是砍,好像发疯似的!

"踩他们的脚,踩他们的脚!"他大叫大喊,一会儿工夫,妖魔们就消失在地洞里,像老鼠一样逃走了。

【比喻】
　　运用比喻表现了妖魔们对踩脚的害怕和他们落荒而逃的样子。

可是,他们不能那么快就全逃走,有许多妖魔给踩坏了脚,直到第二天早晨还在底下的通道里一瘸一拐地往回走呢!

这时,魔王带着一队妖魔赶来支援他们了。这一次,在和柯迪的战斗中,妖后吸取了以前的失败教训,她狂怒地向他冲去,终于抓住机会将柯迪的脚踩得红肿起来。于是,在他们两个之间展开了一场踏脚戏,柯迪用他的猎刀挡住她那有力的双臂,不让她来抱住他,瞅准机会又在她穿兽皮的脚上猛踩一下。可是妖后这回打起来比以往谨慎得多,也灵活得多。

其余的妖魔见他们最害怕的敌人,遇到了势均力敌的对手,便停止了撤退,转向缩在角落里瑟瑟发抖的女人们。身为王子的哈尔立浦,觉得这正是一个表现自我的绝佳机会,他冲到女人们面前,一把抓住了露蒂,把她拖到地道的洞口。露蒂大声尖叫起来,柯迪听到叫声,看到保姆正处在危难之中,他大叫一声举起武器朝妖后脸上狠狠砍了一刀。趁妖后往后倒下去时,他又用全身力气朝她没穿石鞋的脚猛踩一下。接着,再马上跳过去救露蒂。妖魔王子刚走到洞口,他那双没有防备的脚就给柯迪狠狠地踩了两下。他痛得丢下露蒂,号叫着滚进了洞里。柯迪又在他背上猛刺一刀,这才抓住失去知觉的露

【动作描写】
　　柯迪不计前嫌,冒着危险救露蒂,可以看出他的宽容大度和善良。

【细节描写】

展现了妖后的可怖形象。

蒂,把她拖回角落里,保护着她,一面准备与妖后再次搏斗。妖后满脸淌血,眼睛闪着绿光,她的嘴巴张得很大,露出了一排尖利的牙齿。她的身后是一群最强壮的妖魔。

与此同时,卫兵队长和其他卫兵也赶到酒窖来救援,他们扑向妖魔,拼命踩他们的脚。妖魔寡不敌众,狼狈而逃,妖后逃在最前面。当然,他们应该做的是把魔王和妖后捉住,留着作为交换公主的人质。可是,他们是那么急于找寻公主,根本没有想到这一点。当然,随后他们也想到了,可是这时已经太晚了。

【叙述】

对王宫的搜索表明大家对公主的安全还心存侥幸与希望。

当把受伤的人都安置好后,大家再一次对王宫的每一个角落进行了地毯似的搜查。可是结果依然是一无所获,公主像是从人间蒸发了一样,没有留下任何的线索。保姆和其他的仆人们都吓坏了,他们知道把公主弄丢了的下场是什么样的。

【场景描写】

凌乱的场面表明公主确实是被妖魔抓走了。

公主房里的被褥都被翻乱了,扔在地上,公主的衣服撒得满屋都是。很明显妖魔来过这里,柯迪再也不怀疑在袭击一开始公主就被抢走了。柯迪感到很懊恼,很痛苦,他这才明白他们没有把魔王、妖后和王子扣押住,是多么愚蠢。除了懊悔,柯迪还暗下决心一定要让公主安安全全地回来,立功赎罪。

阅读与理解

【名师点拨】

柯迪冲向王宫的迅速,从侧面反映了祖母的神奇;对混战场面的描写,表现了战斗的激烈与艰险。

【回味思考】

1.柯迪的伤是怎么好的?

2.卫兵们为何能转败为胜?

感受神奇的丝线

名师导读

在丝线的引导下,柯迪回到家中看到了公主。他相信了祖母的存在,并为自己的行为懊悔万分。

柯迪刚刚来到妖魔们逃走的洞口时,他的手触到了什么东西。这种触觉非常轻微,他看了看,没有看见什么。在黎明的朦胧中,他看啊,摸啊,手指摸到了一根绷得很紧的线。可是这根线只能摸到却看不到。

这时,公主对他说的话全想起来了,他想了想决定不把这件事情告诉任何在场的人。因为他明白别人是不会相信他的话,就像他当初不相信公主的话一样。于是他用手指摸着丝线走去,走出了屋子,朝山坡跑去。

当柯迪走到山路折向矿井拐角处时,他发现丝线并没有拐弯,却笔直地往山上引去。难道那丝线要把他领回到妈妈的茅屋里去?难道公主在那里?他像自己家的小山羊那样,蹦蹦跳跳地跑上山去。丝线果真把他领到了自己家的门口。在那儿,丝线从手指间消失了,不管他怎么去找也找不到了。这时,太阳还没有出来。

门锁着,他开门走进去。他的妈妈坐在火边,在她的臂弯里,躺着熟睡的公主。

"轻点儿,柯迪!"他妈妈说,"别吵醒她。我很高兴你回来啦!我以为那些妖魔又把你扣住了!"

柯迪被这突如其来的转变惊呆了,他不知道说什么好。于是坐下来凝视着公主,只见她安安静静地熟睡

【动作描写】

柯迪终于感受到了丝线的存在,那么这根丝线是公主祖母的丝线吗?

【细节描写】

这句话体现了柯迪亲自感受到丝线的神奇之后的惊讶。

着，就好像睡在她自己的床上一样。忽然她睁开了眼睛，注视着柯迪。

"啊，柯迪！你回来啦！"她平静地说，"知道你就会回来！"

柯迪不好意思地走过去，低垂下眼睛说道："艾琳，我非常后悔，我从前没有相信你。"

"哦，没什么，柯迪！"公主说，"你知道，那时你是不可能做到的，你现在相信我了，不是吗？""我没法不相信，我本来应该早就相信你的。""为什么你现在相信了呢？""因为，当我上山来找你的时候，我全靠你的丝线，是它把我带到这儿来的。""那么你是从我家里来的，是吗？""是的，我从那儿来的。""我不知道你在我家里。"

"我想我在那里已经待了两三天了。"

"关于我怎么会到这儿的，是什么原因促使我来到这儿的我现在还不大清楚呢。当时有什么东西把我惊醒了，我不知道那是什么，我害怕起来，摸到了丝线，它就在我的手边！它把我领到山上。我更害怕了，以为它又要把我带进山洞里去，我更喜欢待在山的外面。我猜想你又遇到了危险，我得去把你救出来。可是它却把我领到这里来了。哦，柯迪！你妈妈待我太好了，就像我的祖母一样！"

说到这里，柯迪的妈妈紧紧抱了公主一下，公主回过头来对她甜蜜地一笑，撅起嘴唇吻了吻她。

"那么你有没有看到妖魔？"柯迪问。

"没有，我没有走进山洞，我告诉过你了，柯迪。"

"那么让我来告诉你发生的一切吧，现在王宫里到处都是妖魔。他们还闯进你的卧室，把东西翻得一塌糊涂！""他们到那里去想干什么？太粗暴了！""他们是冲着你去的，要把你抢进山洞里去给哈尔立浦王子做老婆。""啊，太可怕了！"公主哭起来，浑身发抖。"不过你用不着害怕，你知道，你的祖母会保护你的。"

"啊！那么你相信我的祖母了吗？我太高兴了！她

【神态描写】
"低垂下眼睛"可以看出柯迪不好意思，对自己行为的懊悔。

【动作描写】
对柯迪妈妈和公主的动作描写，体现了柯迪妈妈对公主的关爱和公主对柯迪妈妈的感激。

要我相信,总有一天你会相信她的。"

柯迪马上想起了他的梦,一声不吭地沉思起来。

"可是你怎么知道妖魔们的想法呢,连我都不知道呢?"公主问。

柯迪耐心地为公主讲起来他这些天来的经历。他讲到了他偷听到了妖魔的计划,以及怎样监视他们,还有自己怎么被卫兵发现并射伤,讲得十分详细。

【语言描写】

公主的惊讶和抚摸表现了她对柯迪受伤的心疼。

"我可怜的朋友,你竟然会被我家的卫兵当作强盗扣压起来!"公主惊讶地喊道,抚摸着他那粗糙的手,"要是我在,他们决会不敢这么做。"

"我看不出你的腿瘸了呀!"妈妈说。

"我不瘸吗,妈妈?哦,是的,我想我应该是瘸的。我要说,从我跳起来去对付妖魔起,我还没有想到过这一点呢!"

"让我看看你的伤口。"妈妈说。

他扯下袜子一看,除了个大伤疤,他的腿是好好的!柯迪和妈妈你看看我,我看看你,感到非常奇怪。可是艾琳叫了起来:"我知道啦,柯迪!我肯定这不是一个梦,我相信我的祖母来看过你了。你有没有闻到玫瑰香味?那是我祖母治好了你的腿,派你来帮助我的。"

【语言描写】

这段话表明柯迪一直对自己之前不相信公主,对待公主粗鲁而耿耿于怀,心存愧疚。

"不,艾琳公主,"柯迪说,"我不配来救你的命,即使没有我的帮助,你的祖母也一定会想方设法让你好好的不受一点伤害。"

"不管怎么说,她派你来帮助我。我希望我的父王快点儿来,我多么想告诉他你有多么好!"

"可是,"柯迪的妈妈说,"我们忘了你的仆人是多么为你担心。你应该赶快把公主送回家去,柯迪,至少去通知他们一声她在这里。"

"妈妈,我想你是对的。只是我饿坏了,让我先吃点儿早饭吧!他们要是从一开始就信任我就不会发生这么可怕的事情了!"

"你说得对,柯迪。不过你也不要过多地责备他们。

你记住了吗？""妈妈，我记住了。只是我真想吃些东西。""我的孩子，我很快就给你拿来。"妈妈说，她站起来把公主放在椅子上。可是还没等早饭做好，柯迪突然跳了起来，把她们两个吓了一跳。

"妈妈，妈妈！"他叫道，"我忘记啦！你得自己把公主送回去。我要去叫醒我的爸爸。"

就这样，柯迪冲进了爸爸睡觉的房间，叫醒了爸爸。把事情的经过大致和他讲了一下，刚一讲完，他就拔腿向外跑去。

【设置悬念】

柯迪叫醒爸爸干什么呢？他这么急切地往外跑有什么重要的事呢？

【名师点拨】

从柯迪的经历以及公主对自己经历的描述，表现了丝线的神奇和祖母存在的真实性。而柯迪的语言，充分表现了他的懊悔。

【回味思考】

1.丝线把柯迪带到了哪儿？

2.公主为什么会来到柯迪家？

第二个计划

　　就在此时柯迪想到的是妖魔们的计划,因为他还记得他们说过,如果第一个计划失败了,他们就要实行第二个计划。<u>不用说妖魔已经忙起来了,矿井正面临着最大的危险:被淹没,被毁坏,矿工们的生命也面临危险</u>。

【解释说明】

　　这句话表明了问题的严重性。

　　他把附近的矿工都通知到以后,走到矿井口,发现他的爸爸和许多矿工都已经进入矿里。他们急忙赶到那段通往妖魔王国的通道。

　　彼得深谋远虑,事先早已搜集好大量石块和水泥,准备加固这个薄弱的地段。<u>那地方很小,两个人不能同时站在一起干活。他们设法让其余的人拌水泥,递石块,准备用一天工夫筑起一道高大的石墙,依靠四周天然岩石的支撑</u>,堵住整段通道。在他们往常开工的时间之前,他们就完成了砌墙工作,矿井的安全有了保障,大家感到很满意。

【叙述说明】

　　可以看出矿工们的合作十分地默契。

　　在他们工作的同时,他们可以听到妖魔们在另一边敲敲打打,还有水的声音。这是他们以前从来没有听到过的。

　　可是当他们离开矿井的时候,却发现并不是那么一回事。

原来一场暴风雨正覆盖着山区，雷声轰隆隆地响着，闪电划破压在山顶上的巨大乌云，劈向浓雾笼罩的山峦两侧。小溪不断涨起来，变成了浊浪滚滚的急流。从这一点看起来，暴雨已经下了很长时间了。

狂风夹带着豆大的雨点向他砸来。尽管别的矿工们没有在狂风暴雨发生之前转身回去，但他还是很不放心，因为这样大的暴风雨对他家可怜的小茅屋来说是很危险的。他很快发现有一块大石头支撑着这座茅屋，保

【环境描写】
"轰隆隆"、"划破"、"劈向"、"浊浪滚滚"，表现了雷声之大，暴雨之急。

护它不被狂风吹走,或者被水冲走。要是没有这块大石头,茅屋一定早已被风刮走了,或者被水冲走。

山洪冲到岩石上,分成两股水流,冲过茅屋后又重新汇合成了一股。这两条奔腾咆哮的溪流围住了茅屋,妈妈和公主是不可能越过它们的。他费了好大的劲才越过其中一条急流,来到家门口。

当他刚刚用手把门推开时,公主的欢呼声就传到他耳边:

"柯迪回来了!柯迪!柯迪!"

【语言描写】
公主的欢呼表现了她对柯迪的关心。

公主裹着毯子坐在床上,他妈妈正千方百计地想弄旺炉火,屋里的泥地已经变成了泥浆,整个屋子看起来乱糟糟的。可是使他奇怪的是妈妈和平时很胆小的公主却一脸的高兴,仿佛这一切只是一场有趣的游戏。

【神态描写】
眼睛和牙齿闪亮是公主开心的体现。

"真是让人太开心了!"公主说,她的眼睛闪闪发光,连美丽的牙齿都在闪亮,"住在山上的茅屋里一定是非常愉快的!"

"那全得看你心里想住什么样的房子。"柯迪的妈妈说道。

"我懂得你的意思,"艾琳说,"我祖母也这样说过的。"

当彼得回家的时候,暴风雨差不多快停了。可是山洪来势汹涌,涨得那样高,这时想下山,对任何人来说都是极其危险的举动!

"可以想象王宫中现在一定乱成一锅粥了!"彼得对公主说,"不过在明天早上之前,我们只能等待。"

大家说说笑笑吃了一顿丰盛的晚餐。吃完后,他们围坐在温暖的火炉边说着有趣的话题。等到大伙都累了的时候,妈妈将小公主抱上了床。她一躺在床上,就在一个低低的小天窗里,看见她祖母的灯在下面远处亮着。她凝视着这美丽的银球,内心充满了平静和幸福的感觉,因为她知道,不论发生怎样的危险,可爱

【细节描写】
祖母的灯是祖母的象征,让艾琳安心。

的老祖母都会在她身边保护她,使她免受伤害。

阅读与理解

【名师点拨】

场面描写体现了彼得的深谋远虑和大家的能干,神态描写则描绘出了公主与柯迪家人的融洽快乐。

【回味思考】

1.矿工们堵住通道了吗?

2.艾琳为什么没有回家?

公主回家了

名师导读

众人以为小公主被妖魔抓走了,都十分地难过。当小公主在柯迪的护送下出现在人们面前时,王宫上下一片欢腾。

【环境描写】
"笑脸"反映了大家心情的美好。

终于到了第二天早上,天已大亮,太阳也露出了笑容。可是山洪还在咆哮着,从出坡上冲下来,但是毕竟小得多了,所以白天走路也没那么危险了。

吃过早饭,彼得上工去了,柯迪和妈妈就出发送公主回家。他们费了好大劲,带她涉过溪水。为了不让公主的衣服被溪水沾湿,柯迪不得不一次又一次地抱着她蹚水,最后他们终于平安地踏上了宽阔的山路,不慌不忙地朝山上国王的房子走去。远远的他们竟然看到了国王和一大群卫兵。

"啊,柯迪,"艾琳快活得拍着双手喊道,"父王来啦!"

【动作、语言描写】
柯迪的动作和语言表现了他的体贴与善解人意。

柯迪也发现了这一情况,他马上把她抱起来,用最快的速度向前奔去,叫道:

"快跑,亲爱的妈妈!如果国王不知道公主平安无事,心都会碎的!"

小公主搂着柯迪的脖子,生怕自己会掉下去。

当他跨过大门奔进院子的时候,国王正骑在马上。房子里所有的仆人,都站在周围低垂着头哭泣着。国王没有哭,但他的脸苍白得像死人一样,看上去好像生命已经离开了他的身体。他带来的卫兵坐在地上,好像受了沉重的打击,眼睛里冒着怒火。可是敌人在暗处,他

【神态描写】
神态描写突出了国王对艾琳公主的担忧。

们不知道从那里下手。

在那场混战之后，当王宫中的人猜想公主可能被妖魔抢入洞中后，他们中的一些卫兵就跟随着溃败的妖魔钻入了洞中。可是妖魔已严密地堵塞了地道最狭窄的地段。这个地段距离地窖没有几步路，没有矿工和矿工的工具，他们挖不进去。他们也不知道矿井口在哪里，派了几个人去寻找，又遇到了暴风雨，到现在还没有回来。可怜的华尔德队长羞愧得无地自容，他手下有这么多人却连一个小公主都看不住，怎能不让他感到丢脸呢！

由于大家都沉浸在伤心之中，又因为看着国王那样悲痛，大家都惴惴不安。所以当小公主进来，没有一个人抬起头看到她。

"父王！父王！"公主一见到她的爸爸就叫个不停。

<u>国王大吃一惊，脸上顿时有了血色，他发出几声不连贯的叫声。</u>柯迪把公主举起，国王弯下身来，从他手臂上接过公主。当他把女儿紧紧搂在怀里时，大颗大颗的泪珠从他脸颊的胡须上滚落下来。<u>周围的人群爆发出一阵响亮的欢呼声，受惊的马匹蹦跳腾跃，盔甲和武器叮当作响，这些声音在山中响起一片回声。</u>

公主依偎在爸爸怀里，向大家点头致意。国王抱着她不放，让她就在马上叙述事情的全部经过。可是，公主讲到柯迪比讲自己还多，除了国王和柯迪，没有一个人听得懂她讲的事情。柯迪站在国王的膝盖附近，用手抚摸着大白马的脖子。她讲到柯迪的英雄行为时，华尔德队长和其他卫兵也插进来补充，就连露蒂也参加进来，连连夸奖他的勇敢和才干。

柯迪没有表示出骄傲的神情，不过他的妈妈就不一样了。<u>她在人群中满心欢喜地听着，因为作为妈妈，最高兴的事就是听到儿子的功绩。</u>

后来公主看到了她。"那是他的妈妈，父王！"公主说，"瞧，她在那儿，她是一位慈爱的妈妈，她待我那么好。"

国王示意她走过来，大家赶紧为她让开一条路。她走到国王面前，国王向她伸出一只手，但却感激得说不出一句话来。

【语言描写】

小公主对自己早前说的话还记在心上，表现了她的诚实与信守诺言。

"现在，父王，"公主继续说，"我必须告诉你另一件事。很久以前的一天夜里，柯迪赶走了妖魔，护送我和露蒂从山上平安回家。我们到家后，我答应给他一个吻，可是露蒂不让我这样做。我希望你不要责备露蒂，不过我请你告诉她，一个公主是必须遵守诺言的。"

"是的，她必须遵守诺言，我的孩子，除非这个诺言是错误的。"国王说，"那么，你就给柯迪一个吻吧！"

他说着，抱着公主凑向柯迪。

公主弯下身去，双臂挽住了柯迪的脖子，在他嘴上吻了一下，说："柯迪！这就是我答应给你的吻！"

【细节描写】

节日般的狂欢是大家万分开心的体现。

大家都沉浸在节日般的狂欢气氛中。露蒂给公主穿上了最光彩夺目的衣裳，国王也脱下盔甲，换上了绣金的紫袍。国王的厨房里仆人们正在忙着做出最丰盛的美味佳肴。

国王还专门让人去请矿工中的所有人一起来王宫聚会，你一定可以想象得到大家是多少的高兴吧。既然这样，在这里就不用详细描述宴会的详细场景了吧。

阅读与理解

【名师点拨】

场面、动作、神态描写充分刻画出大家对公主的万分担忧和公主回来之后大家的激动与兴奋。

【回味思考】

1.公主进来时，为什么没有人看到她？

2.公主兑现了她的什么承诺？

自食其果

名师导读

正当大家欢聚之时，一阵暴风雨般的声音从远处而来。聪明的柯迪焦急地带着大家转移，又发生了什么事呢？

国王随从的竖琴师，唱起了一首自编的民歌。人们被这种快乐的情绪所感染，也不约而同地跟着节拍唱了起来。

这时，艾琳公主从敞开的门里走进来。她笔直地向她爸爸走去，右手稍向旁边伸出，而她的食指摸着那根无形的领路的丝线，这只有她爸爸和柯迪知道。国王把她抱到自己膝盖上，公主凑近他耳边说道：

"父王，你听到了那种声音吗？"

"什么样的声音？"国王说。

"你听！"她一边说，一边举起她的食指。

国王留神细听，周围立刻肃静下来。看见国王在侧耳静听，大家也都停了下来，他们也支起了耳朵认真地听了起来。

"我听到了一种声音，"国王最后说，"好像是远处打雷的声音，它越来越近了。这能是什么声音呢？"

国王这么一说，大伙儿也都听到了。大家却一动也不动地坐着。这个声音很快地向这里靠近。

"这到底是什么声音？"国王又说了一句。

"我想那一定是从山上过来的另一阵暴风雨。"华尔德队长说道。刚才柯迪一听到国王说的话，就从座位上

【动作描写】

妖魔已被打退而此时的丝线意味着什么呢？暗示了什么呢？

【语言描写】

这句话表明了国王的疑惑和对声音的不确定，隐含了他的担忧。

溜了下来，把耳朵贴在地面上仔细地听，他飞快地站起来，走到国王面前，非常焦急地说道：

"陛下，我想我知道这是什么声音了。我没有时间详细解释，因为这样可能会使我们中间有些人来不及逃命。陛下你能不能下令，叫所有人离开屋子，赶快上山去。"

国王是个十分聪明的人，他很清楚有时候有些事情必须先去做，过后才能问明原因。于是他大声叫道：

"所有男人和女人都跟我来！"他说着，大踏步走进了屋外的黑暗之中。

就在他们刚刚到达门口时，地面突然在他们脚下颤动起来。最后一批人还没有穿过院子，在他们背后，从大厅那儿就涌出来一股巨大浑浊的洪流，差一点儿就把他们冲走了。大家总算平安地出了大门，登上山坡，那洪水咆哮着，沿着山路流到下面的山谷里去了。

柯迪回到家里和爸爸一起帮着妈妈向山上安全的地方转移。

当国王登上山顶时，他手里抱着公主站在那里，惊愕地注视着汹涌而来的洪水，洪水在黑暗中翻腾，泛起白色的泡沫。这时柯迪又来到国王身边。

"你说，柯迪，"国王说，"这是怎么回事？这就是你预料之中的情况吗？"

"正是，陛下！"柯迪说，于是他告诉了国王妖魔的第二个计划。妖魔们觉得，矿工对地面上的世界来说很重要。因此他们决定，如果绑架公主失败，他们就要淹没矿井，淹死矿工，接着他又解释了矿工们所做的预防工作。妖魔实行了他们的计划，凿开了地下水库和溪流，想让地下水流进地势较低的矿井。可是他们并不知道，在原来他们打通的地方，矿工们已经筑起一道坚固的石壁。而他们挖掘的通向国王房子的地道，就成了洪水最方便的出水口。年轻的矿工起先并没有料到这一灾难的可能性，直到最后才醒悟过来。

现在该怎么办呢？房子随时有倒塌的危险，而洪水每时每刻都在上涨。

"我们必须立刻离开，"国王说，"不过怎样才能把马匹救出来呢？"

"能不能让我去看看怎样救它们出来？"柯迪说。

柯迪集合了所有的卫兵，带领他们翻过花园的围墙，赶到马厩前面。他们发现马匹惊恐万分，洪水在它们周围上涨得很快，再迟一步就晚了。除了骑上马背，穿过从窗里和门里涌出来的洪水，没有别的办法能救它们出来。不过一个人驾驭一匹马，还是比较容易穿过洪水的。柯迪骑上了国王的大白马，在前面领路，把大伙儿平安地带到了山坡上。

就在柯迪跨下马来，把马牵到国王面前时，艾琳喊起来："瞧，柯迪！"

柯迪抬头看去，只见高高的空中，也就在国王房子的上空，有一盏巨大的圆灯，像最纯的银子一样在闪闪发光。

"啊！"他惊讶地叫起来，"这是你祖母的灯！我们一定要把她救出来，不然的话她可就麻烦了。"

"哈哈。"艾琳笑了起来。"我觉得只有她来救我们的份儿，而没有我们去救她的份儿。"

国王没有说话，他把公主推给了柯迪。

柯迪接过公主，他们俩的眼睛都盯着那发光的银球。这时从银球里飞出一只白鸽，它展翅俯冲下来，在国王、柯迪和公主头上飞了一圈，又向上飞去。银球和白鸽一起消失了。

"我不是说了吗，"当柯迪把公主托起，送到国王的手臂里时，公主说道，"我祖母什么事情都知道，而且一点儿也不害怕。她什么都能做到，这点儿水对她来说根本就是小儿科。"

"好了，我的好孩子，"国王打断她说，"要是你不添些衣服，你会着凉的。让柯迪给我们找件暖和的衣服来吧，我们还有很长一段路要走呢。"

没过多久，他就找来了一件厚厚的裘皮大衣，还带来一个惊人的消息，房子里满是妖魔的尸体。这些坏蛋们本想淹没矿山，却自作自受，遭受到了灭顶之灾。

风更大了，国王搂紧了女儿。他朝华尔德队长说道："把柯迪的爸爸和妈妈带到这里来。"

当柯迪的父母站在国王面前时，国王说："我希望把你们的儿子留在我身边。他会被立刻编入我的贴身卫队，并等待晋级。"

夫妻两人不知道应当怎么回答，只好咕哝了几句感谢的话。柯迪却大声说道：

"对不起，陛下，我不能离开我的爸爸和妈妈。"

【语言描写】
从这句话可以看出柯迪不慕名利和不图回报。

"你说得对，柯迪！"公主也喊道，"要是我的话，也不会离开他们的。"

国王看看公主，又看看柯迪。看起来，他对柯迪的回答有点意外，但更多的是赞许。

倒是柯迪的父母有点儿不自在了，因为他们觉得抗逆国王的命令怎么说也不大合理。

于是柯迪的妈妈说："你为什么不跟国王走呢？没有你在身边，我和你爸爸也会照顾好自己的。"

"可是不能和父母亲生活在一起是多少无聊的事情呀。"柯迪说，"国王非常慈爱，不过我对他的用处还不到对你用处的一半。陛下，如果你不介意的话，请赐给我妈妈一条红衬裙吧！要不是为了妖魔，我早就买给她了。"

【语言描写】
柯迪始终不忘要给妈妈一条红衬裙，从这儿我们可以看出他的孝顺和对妈妈的爱。

"我们一回到家，"国王说，"艾琳和我就会找出一条最暖和的红衬裙，派卫兵给你送来的。"

"我保证会这么做，我的朋友！"公主说，"柯迪妈妈，等我们回来时，会看到你穿着它的。"她又添上了一句："是吗？父王！"

"是的，亲爱的，我希望如此！"国王说。

这一天，国王将他的随行仆人们留在了矿工家中，而他和贴身的卫兵们带着公主从水势较小的地方回

【行为描写】
这句话反映了国王对矿工一家的信任。

到了王宫中。

阅读与理解

【名师点拨】

　　对洪水的描写,反映了情况的危急。语言描写反映了柯迪的反应之快和机灵,以及柯迪不慕名利的高贵品质。

【回味思考】

　　1.洪水为什么会淹没国王的房子?

　　2.柯迪为什么不和国王走?

后来的故事

名师导读

妖魔被消灭了,公主安全了,国王的房子里不断地涌出洪水……之后的事会怎样呢?

一连好几天洪水不断地从国王房子的门窗里涌出来,总是有一些妖魔的尸体被冲到路边。

柯迪爸爸和别的矿工商量后,立刻动手挖另一个出水口。大家分工合作,挖隧道的挖隧道,筑墙的筑墙,很快就把出水口挖成了。<u>他们还挖了一条下水道,把国王</u>

【行为描写】
　　在矿工们的帮助下,国王的房子并没有被洪水毁掉。

房子底下的水也排了出去。

当人们进入国王的酒窖时,发现了妖后的尸体。她脚上的一只兽皮鞋已经失落,不过那只石头鞋子还牢牢地套在脚上。许多妖魔带着他们的牲口上山去躲避洪水,还有一些幸存者迁居到其他国家。

慢慢的大家发现留下来的妖魔们变得越来越温和,像苏格兰的布朗尼小精灵那样。他们的头像他们的心一样渐渐地变软,而他们的脚却渐渐变得坚强有力。他们开始和矿工们友好交往起来,可是人们却残酷地对待妖魔们的动物。在我讲这个故事的时候,这些动物们恐怕已经一只不剩地从地球上永远地消失了。

【对比】
运用比喻表明幸存的妖魔已变成善良的小精灵。

阅读与理解

【名师点拨】

真实与幻想融为一体,采取讲故事的形式,使读者倍感亲切。

【回味思考】

1.所有的妖魔都死了吗?

2.剩下的妖魔会作恶吗?

阅读训练

一、填空题。

1.《公主与妖魔》是＿＿＿＿＿＿＿的作品。

2.《公主与妖魔》又译为＿＿＿＿＿＿＿。

3.《公主与妖魔》以＿＿＿＿＿＿＿民间故事中的恶鬼为线索,虚构了一段妖魔王国的历史。

4.艾琳的老祖母一直在暗中帮助艾琳和＿＿＿＿＿＿＿。

5.艾琳正是靠老祖母纺的那团线,救出了困在魔洞里的＿＿＿＿＿＿＿。

二、选择题。

1.麦唐纳是( )人。

A.美国　B.英国　C.加拿大　D.法国

2.这部作品之所以让大家喜爱,是因为它的思想内容颂扬了( )可贵的精神品质。

A. 善良、坚强、睿智等　B. 懦弱、自卑等

3.下列作品中,( )不是麦唐纳的。

A.《拉纳德·巴内曼的童年》　B.《古塔·珀查·威利》

C.《汤姆叔叔的小屋》　D.《聪明女人》

4.1877年,麦唐纳以连载形式开始发表另一部优秀儿童作品是( )。

A.《拉纳德·巴内曼的童年》　B.《古塔·珀查·威利》

C.《汤姆叔叔的小屋》　D.《公主与柯迪》

三、判断题。

1.故事中的妖魔原来也是生活在地面上的普通人,但由于

他们对国王的统治不满意，又没办法改变，于是躲入地下。（　）

2.在故事中，作者通篇采取以第一人称讲故事的形式，使小读者好像在亲耳听作者讲故事，因此觉得格外亲切。（　）

3.故事发生时，公主艾琳才满八岁，妖魔决定将她劫持到地下去，让国王伤心而死。（　）

4.作者在故事中还虚构了一个神仙的形象，她是艾琳的老祖母，隐身在城堡的顶楼，只对艾琳一人显形。（　）

5.艾琳的老祖母曾日夜纺线，用蛛丝纺了一团凡人肉眼看不见的丝线，而这种丝线只有艾琳一人摸得着。（　）

参考答案

一、填空题。

1. 麦唐纳 2.《公主和小鬼》 3. 苏格兰 4. 柯迪 5. 柯迪

二、选择题。

1. B 2. A 3. C 4. D

三、判断题。

1. √ 2. × 3. √ 4. √ 5. √

《公主与妖魔》
读后感

　　读完《公主与妖魔》后，我感动不已。

　　这本书主要讲述了一位美丽的公主艾琳和小矿工柯迪相遇后一起打败妖魔的过程。小公主艾琳拥有一颗天真无瑕的童心，对美好生活充满向往。虽然她贵为公主，却从不以公主身份自居。而小矿工柯迪是一个极其可爱、善良、勇敢的孩子。他深深地爱着爸爸妈妈，为了给勤劳、慈爱的妈妈买一条红衬裙，他不分昼夜地在矿井里干活，也因此偷听到了妖魔要绑架小公主和淹没矿井的诡计，但不幸被妖魔发现，关在了黑暗的地洞里。小公主艾琳在老祖母的指引下，机智地救出了出身低微、但勇敢善良的小矿工柯迪，并与他建立了真挚的友谊。

　　在小公主和王国受到妖魔侵袭的时候，柯迪不顾生命危险，机智勇敢地抓住了妖魔弱点——他们的脚，与妖魔英勇斗争，最终正义战胜了邪恶，妖魔们被打得落花流水，狼狈地四处逃窜。最后，王国恢复了平静，小公主和臣民们又过上了幸福快乐的生活。

　　这个故事告诉我们：在生活中，面对困难，要机智勇敢，用智慧去战胜困难。它让我懂得了，从小要怀着一颗善良的心去对待每一个人，也让我不怕任何困难，勇于承认错误。

　　自从读了这本书后，我受到了很大的启发：我要学习柯迪勇往直前、永不退缩的精神。在今后的学习中遇到困难、挫折时，不会一味地去埋怨和叹气，而是开动脑筋，冷静思考，化难为易地去解决问题。我们还要学习柯迪善良、勇敢、不惧困难、永不退缩的精神。我明白，困难并不可怕，只要勇敢地去面对它，就一定会战胜它。以后，当我再遇到困难时，我绝不会胆怯，我会坚定信念，用自己的勇气去战胜它。

图书在版编目（CIP）数据

公主与妖魔 / (英) 麦唐纳 (Macdonald,G.) 著；
邓敏华编著. -- 济南：山东美术出版社, 2013.4(2016.5 重印)
（人生必读书）
ISBN 978-7-5330-4184-7

Ⅰ.①公… Ⅱ.①麦… ②邓… Ⅲ.①童话 – 英国 –
近代 – 缩写 Ⅳ.①I561.88

中国版本图书馆 CIP 数据核字(2012)第 278774 号

责任编辑： 　陈　蔚　翟宁宁　常馨鑫
主管单位： 山东出版传媒股份有限公司
出版发行： 山东美术出版社
　　　　　　济南市胜利大街 39 号(邮编：250001)
　　　　　　http://www.sdmspub.com
　　　　　　E-mail:sdmscbs@163.com
　　　　　　电话:(0531)82098268　　传真:(0531)82066185
　　　　　　山东美术出版社发行部
　　　　　　济南市胜利大街 39 号(邮编：250001)
　　　　　　电话:(0531)86193019　　86193028
制版印刷： 天津泰宇印务有限公司
开　　本： 710mm × 1000mm　16 开　12 印张
版　　次： 2013 年 4 月第 1 版　2016 年 5 月第 2 次印刷
定　　价： 28.80 元